무림오적

무림오적 27

초판 1쇄 발행 2020년 10월 15일

지은이 ㅣ 백야
발행인 ㅣ 신현호
편집장 ㅣ 이환진
편집부 ㅣ 이호준 송영규 최종건 정재웅 양동훈 곽원호 조정범
편집디자인 ㅣ 한방울
영업 · 관리 ㅣ 김민원 조은걸 조인희

펴낸곳 ㅣ ㈜디앤씨미디어
등록 ㅣ 2002년 4월 25일 제20-260호
주소 ㅣ 서울시 구로구 디지털로 26길 111 JnK디지털타워 503호
전화 ㅣ 02-333-2513(대표)
팩시밀리 ㅣ 02-333-2514
E-mail ㅣ papy_dnc@dncmedia.co.kr
홈페이지 ㅣ www.ipapyrus.co.kr

값 8,000원

ⓒ 백야, 2020

ISBN 978-89-267-1873-5 04810
ISBN 978-89-267-3458-2 (SET)

1장.
옛날 옛적에……

"뭐, 그렇고 그런 옛날이야기인 게지.
옛날 옛적에…… 라고 시작하지는 않았지만, 그리고 행복하게 잘 살았단다,
라고 끝나지도 않은 이야기이기는 하지만 말일세."

1. 청운의선(靑雲醫仙)

정사대전이 발발하기 십여 년 전만 하더라도 강호무림
은 평온했다.

물론 그때도 정파 백도의 인물들과 사마외도의 고수들
간에 다툼이 없지는 않았지만, 지금처럼 정사(正邪)의 무
리들이 극한으로 갈라져서 무조건 얼굴 맞대는 즉시 서
로 죽이는 일은 없었다.

그저 평범한 사람들처럼 정사의 무리들은 다투기도 하
고 척을 지기도 하고 교분을 나누기도 했다.

그들은 함께 식사를 하면서 서로 술잔을 나누기도 하
고 흥취가 오르면 함께 어깨동무를 하고 노래를 부르기

도 하고 심지어 젊은 남녀끼리는 사랑도 나눴다. 그게 지금으로부터 삼사십 년 전의 강호무림이었다.

그 시절, 사마외도에는 누구보다도 아름다운 여인이 있어서 뭇 사내들의 가슴을 두근거리게 만들었다.

사내들은 정파니 사파니 할 것 없이 그녀를 보는 순간 모두 사랑에 빠져들었다. 세상에 아름다운 여인은 수없이 많으나, 그녀처럼 뇌쇄적이고 유혹적인 여인은 없었다.

만해거사 역시 그녀를 보자마자 사랑에 빠졌다. 당시 그는 정파의 잘나가는 의생이었지만, 여전히 무공은 약했고 숫기도 부족하며 말주변도 없던 숫총각이었다.

                    *   *   *

"어머, 의생이시라고요?"

우화(禹華)가 살짝 눈을 치켜뜨며 물었다. 일순 그녀 주변에 벌 떼처럼 몰려 있던 수십 명의 젊은 영웅들이 일제히 만해거사를 노려보았다.

"아, 네. 그게……."

만해거사는 고개를 숙이며 얼버무렸다. 그의 얼굴은 물론 목덜미와 귓불까지 새빨갛게 물들었다.

"하하. 청운의선(靑雲醫仙)이라고 이 젊은 나이에 벌써

의선 소리 듣는 명의(名醫)라오."

만해거사의 벗이 그를 대신하여 소개했다. 우화는 만해거사의 벗을 돌아보았다. 사각형의 얼굴에 짙은 송충이 눈썹을 지닌, 썩 잘생긴 얼굴은 아니었지만 사내답고 씩씩하게 생긴 얼굴의 사내였다.

"아, 그런가요? 청운의선이라……. 이렇게 만나 뵙게 되어서 영광이에요."

"저, 저도…… 그게……."

우화의 말에 젊은 시절의 만해거사, 즉 청운의선은 여전히 고개를 숙인 채 어쩔 줄 몰라 했다.

이때만 하더라도 청운의선은 대머리가 될 기미가 보이지 않았다. 그랬기에 독응(禿鷹)이 아닌, 청운산(靑雲山)의 청운이라는 단어가 별호에 들어가 있었다.

"자, 자. 이쪽으로 오시죠, 우 소저. 제가 한 잔 올리겠습니다."

"하하, 장 형. 허공섭물(虛空攝物)의 진기 정도는 보여 드리면서 한 잔 올리시구려."

"이런, 그렇게 치자면 조금 전 오 형이 보여 주었던 수법은 너무 빈약한 게 아니오?"

청운의선이 말을 제대로 하지 못하자, 젊은 영웅들은 앞다퉈 우화를 자신들의 영역으로 끌어들이고자 안간힘을 썼다.

그 와중에 서로 견제하고 질시하고 은연중에 깎아내리는 건, 결국 자신을 제외한 다른 동료들이 우화의 호감을 사지 못하게 함이었다.

우화는 젊은 영웅호걸들의 호들갑이 마음에 들지 않았는지, 아니면 뭔가 기분이 언짢았는지 가볍게 이맛살을 모으며 눈살을 찌푸렸다.

순간 영웅호걸들의 입에서 찬탄의 탄성이 흘러나왔다.

"오오, 서시(西施)가 눈살을 찌푸리는 모습이 그토록 아름답다 하더니, 내 오늘 그 말이 틀리지 않았음을 직접 목도하게 되었구려!"

"지필묵(紙筆墨)이 있었다면 지금의 그 모습을 그려서 서시보다 아름다운 증거로 후세에 남기고 싶소이다."

사람들은 앞다퉈 칭송했다.

우화는 그들을 향해 뭔가 말을 하려다가 말고 가볍게 한숨을 쉬었다. 그리고는 슬쩍 청운의선을 바라본 후 자리를 떴다. 젊은 영웅호걸들이 우르르 그녀를 따라 객잔 밖으로 나갔다.

순식간에 객잔이 한적해졌다.

"자네의 그 수줍음은 쉽게 고쳐지지 않는군."

청운의선의 벗이 한숨을 쉬며 말했다. 청운의선은 멋쩍은 표정을 지으며 말했다.

"삼 년 전까지 청운산에서 사부와 단둘이서 생활했네.

그러다 보니 사람 대하는 게 서툴고 어색한 것이지, 그게 꼭 여자 남자 가리는 게 아니라고."

"거짓말."

벗은 콧잔등을 찌푸리며 웃었다.

"자네, 나와 처음 만났을 때를 생각해 보게. 그게 어디 지금 모습과 똑같다고 생각하나?"

"그런가? 하하. 그렇군. 그래, 자네 말이 맞네. 확실히 나는 남자보다 여인을 대하는 게 서툴고 어색하지. 인정하네."

"그래서 일부러 이곳에 온 거야. 아예 세상에서 가장 아름다운 여인을 만나게 되면 그 충격에 지금과 사뭇 달라지지 않을까 하고 말이지."

벗은 어깨를 으쓱거리며 말을 이었다.

"하지만 평소보다 더 심한 걸 보니, 아무래도 내 충격요법이 틀린 것 같네."

청운의선은 쓸쓸한 미소를 머금은 채 벗의 이야기를 듣다가 문득 길게 한숨을 쉬며 중얼거렸다.

"그러나저러나 정말 아름답더군. 선녀가 있다면 꼭 그녀 같을 것이야. 월궁(月宮)의 항아(姮娥)를 본 줄 알았네."

"월궁의 항아라……. 뭐, 그녀의 별호를 생각하면 비슷할 수도 있겠네."

"별호가 어떻게 되는데?"

"음? 그것도 몰랐나? 야래향(夜來香), 그게 저 아름다운 여인의 별명이지."

* * *

'오호.'

설벽린의 눈이 반짝였다.

'대부인(大夫人)의 이름이 우화였구나. 이런 비사(秘事)는 언제 들어도 흥미진진하단 말이지.'

그는 속으로 중얼거리면서 행여나 만해거사의 심사가 불편해지지 않도록 빈 잔에 얼른 술을 따랐다.

만해거사는 거침없이 술을 비운 후 "크으." 소리를 내며 입술을 훔쳤다.

"역시 범정객잔의 술은 최고라니까."

그 칭찬을 들었는지 계산대 앞에 앉아 있던 지배인이 활짝 웃으며 말했다.

"우리 죽엽청(竹葉靑)은 다른 곳의 죽엽청과는 달리 과하게 달지 않거든요. 너무 달면 외려 느끼하고 부담스러워서 많이 못 마시죠."

"그렇지. 뭐든 과유불급인 게지."

만해거사는 고개를 끄덕이면서 설벽린이 새로 따른 술

을 단숨에 들이켰다.

죽엽청은 단순히 대나무 잎을 재워 만드는 술이 아니었다. 죽엽청에는 국화, 목향을 비롯해 각종 약재가 들어가는데, 위에 좋고 혈액 순환에 도움을 주는 특급 보양주였다.

그런 까닭에 가격도 매우 비싸거니와 또 그래서 일반 평범한 객잔이나 주루에서는 구경조차 하기 힘든 귀한 술이었다.

이곳 범정객잔은 인근 대나무 숲의 샘과 그 대나무 잎을 주력으로 해서 죽엽청을 만드는데, 그 맛이 훌륭하고 향이 좋으며 효능 또한 뛰어나 멀리 사천에서까지 이 죽엽청을 사러 오는 손님들이 있을 정도였다.

"그래, 무슨 이야기를 했더라?"

석 잔의 술을 연거푸 마신 만해거사가 묻자, 유 노대가 살짝 눈살을 찌푸리며 대꾸했다.

"벌써 취했나? 자네가 처음 그녀를 만났던 이야기를 하고 있었잖은가?"

"아, 그렇지. 그래. 처음 만났을 때 그녀는 공주였고, 나는 벌레였지. 감히 그녀에게 눈길조차 줄 수 없는, 그저 한없이 엎드려 있는 벌레 말이네."

"말이 좀 지나치네. 아무리 그래도 벌레라니. 당시 자네는 그 뛰어난 의술 솜씨로 만인의 존경을 받지 않았나? 또 자네에게 구원의 손길을 원하는 이들도 많았고."

"흠, 물론 내 의술 실력은 매우 뛰어났지. 아마 또래의 의생들 중에서는 내가 최고라고 할 수 있었을 게야. 하지만 그건 대단한 자랑거리가 될 수 없었네."

만해거사는 담담한 얼굴로 말했다.

"당시 그녀의 주위를 맴돌고 있던 젊은 영웅호걸 대부분 각 지역의 패자로 군림할 수 있을 정도의 무위를 지닌 고수들이었으니까. 또 몇몇 이들은 신주오대세가의 후예들이었고, 또 몇몇 이들은 강호의 유명한 호족의 일원들이었지. 또 몇몇 이들은 세 살배기도 울음을 그친다는 거마효웅(巨魔梟雄)의 제자들이었으니까. 그런 젊은이들 사이에서 내 의술은 특별히 자랑할 게 되지 못했네."

"그건 어디까지나 자네의 착각이고, 자학(自虐)이지 않았나? 결과적으로도 그렇고 말이지."

"흠, 결과만 놓고 본다면야 자네 말이 맞겠지만 어쨌든 그 당시 나는 그녀와 두 번 다시 만날 기회조차 없다고 생각했었네. 그런데 그날 밤, 그녀가 나를 찾아오다니……."

만해거사의 말에 설벽린의 눈이 휘둥그레졌다.

"대부인께서 직접 찾아오셨다고요? 만해 사부를요?"

"대부인? 너는 그녀를 대부인이라고 부르느냐?"

"아, 네. 지금 화평장에는 두 분의 어르신이 계시거든요. 야래향과 빙혼마고. 화평장 사람들은 그 두 어르신을 두고 각각 대부인, 이부인이라고 부르죠."

"허어. 빙혼마고도 함께 있다니……. 거기에다가 자네까지 함께 생활하고 있다니, 세상 참 오래 살고 볼 일이로구나."

만해거사가 유 노대를 돌아보며 말하자 유 노대는 어깨를 으쓱거리며 대답했다.

"뭐 오래 살다 보면 별의별 일이 다 생기는 법이거든."

"그러니까요."

설벽린이 그들의 대화에 끼어들었다.

"무슨 일로 대부인께서 직접 만해 사부를 찾아오신 건데요? 설마 하니 첫눈에 반했다, 뭐 이런 건 아닐 테고요."

"허허허. 그렇지. 첫눈에 반했다, 그런 건 확실히 아니었지. 그녀가 내게 반할 일이 어디 있겠느냐?"

'그건 그렇죠.'

라고 대꾸하려던 설벽린은 문득 만해거사의 표정을 보고는 얼른 말을 바꿨다.

"그건 또 무슨 말씀이세요? 물론 지금의 사부라면 절대 반할 일이 없겠지만, 당시만 하더라도 잘생긴 의생이라고 들었는데요?"

"허허. 잘생기기는. 그저 남에게 혐오감 주지 않을 정도로는 생겼었지."

만해거사는 살짝 마음이 풀린 듯 너털웃음을 흘렸다.

설벽린은 이때다 싶어서 재촉했다.

"어쨌든 대부인께서 만해 사부를 찾아온 이유가 궁금하네요. 자, 술 한 잔 받으시고 얼른 더 이야기해 주세요."

2. 야래향(夜來香) 우화(禹華)

야래향 우화가 청운의선을 찾아온 건 제법 야심한 시각의 일이었다. 청운의선은 그의 벗과 더불어 객잔 이 층 숙소에서 술 한잔 걸치고 있던 참이었다.

"응?"

문밖의 인기척을 느낀 벗의 눈가에 살짝 의혹의 빛이 일렁일 때였다.

"아직 안 주무세요?"

부드럽고 달콤한 여인의 음성이 들려왔다. 듣는 사내의 가슴이 절로 두근거리는 마성(魔性)의 목소리.

하지만 청운의선은 그 목소리를 듣는 순간 살짝 고개를 갸우뚱거렸다. 뭔가 이질감을 느낀 것이다.

"아직 안 자고 있소이다. 들어오시오."

벗의 말에 조심스레 방문이 열리고 그녀가 들어왔다.

청운의선은 저도 모르게 차탁에서 벌떡 일어났다. 그녀의 얼굴을 보자마자 가슴이 쿵쾅거리기 시작했다.

"잠이 오지 않아 술 한잔하고 있던 참이오. 불쾌하지 않으시다면 이리로……."

그의 벗이 웃는 낯으로 말하며 차탁을 가리켰다. 야래향은 살짝 고개를 끄덕인 후 자리에 앉았다. 벗은 살짝 눈살을 찌푸리며 제 이마를 쳤다.

"아! 지금 보니 잔이 없구려. 내 얼른 가져오리다. 참, 뭐 따로 좋아하는 요리라도 있소이까? 자고 있는 숙수를 깨워서라도 만들어 드릴 터이니."

벗의 말에 야래향이 살짝 미소를 짓고는 고개를 저으며 말했다.

"괜찮아요."

"그렇소? 그럼 다녀오리다. 자네, 행패 부리지 말고 정중하게 잘 모시고 있으라고."

"해, 행패는 무슨."

청운의생은 머리를 긁적이며 대꾸했다. 벗은 가볍게 웃으며 그의 어깨를 툭툭 친 후 곧장 밖으로 나갔다.

객잔 이 층 처소에 청운의생과 야래향 단둘이 남게 되었다.

청운의선의 심장은 밖으로 튀어나올 것처럼 쿵쾅거렸

고 얼굴은 시뻘겋게 달아올랐으며 손발이 떨려 억제할
수가 없었다. 그녀의 향기는 청운의선의 코를 마비시켰
고, 그녀의 미모는 그의 눈을 멀게 했다.

"왜 저를 안 보세요?"

그녀가 물었다. 그 목소리는 청운의선의 귀를 멀게…….

'응?'

청운의선은 다시 한번 고개를 갸웃거렸다. 그녀의 목소
리에 담겨 있는 약간의 떨림, 주저의 흔적. 그런 것들이
미약하게나마 느껴졌던 것이다.

'설마 나 때문에 떠는 건 아닐 테고.'

물론 그런 떨림이 아니었다. 뭐랄까, 고통을 참는 듯
한? 순간적인 격통(激痛)에 움찔거리며 흔들리는 듯한
그런 떨림이었다.

'아!'

청운의선은 그제야 생각이 났다.

낮의 우화는 가끔씩 서시처럼 눈살을 찌푸렸고, 그녀를
추종하는 영웅호걸들은 그걸 보고 서시 운운하면서 칭송
하기에 바빴다.

하지만 정작 과거 서시가 눈살을 찌푸렸던 건 가슴이
아파서였지 않았던가.

그렇다면 낮의 우화가 인상을 찡그렸던 것도, 지금의
우화 목소리에서 미세한 떨림의 흔적이 나타나는 것도

모두 그녀가 통증을 참고 있다는 증거가 아닐까.

거기까지 생각한 청운의선은 저도 모르게 우화를 바라보며 입을 열었다.

"아프신 데라도 있습니까?"

일순 우화는 움찔 놀라는 표정을 지었다. 그녀의 눈이 휘둥그레졌고 앵두 같은 입술이 살짝 벌어졌다. 꿀처럼 달콤한 향기가 그녀의 입술 사이로 흘러나왔다.

청운의선은 멍하니 그녀를 바라보다가 화들짝 놀라며 다시 고개를 숙였다.

'도대체 무슨 용기로 감히 그녀를 바라보고 그녀에게 말을 걸었단 말인가.'

"어떻게 아셨어요, 제가 아픈 걸?"

고개 숙인 청운의선의 머리 위로 그녀의 부드럽고 따스한 숨결이 스치듯 지나갔다.

청운의선은 여전히 고개를 숙인 채 힘들게 입을 열었다.

"그, 그게…… 왠지 그럴 것 같아서…….."

"역시 젊은 의생들 중에서 최고라는 찬사가 거짓이 아니네요. 지금껏 많은 의생들을 만나 봤지만 진맥(診脈)도 없이 제 아픔을 알아차린 건 오직 청운의선 당신뿐이에요."

우화는 감탄하며 말했다.

청운의선의 심장이 금방이라도 폭발할 것처럼 마구 뛰었다. 그는 가만히 있으면 그녀가 자신의 심장 뛰는 소리를 들을 것 같아서 황급히 입을 열었다.

"어디가 아프십니까?"

"그게……."

우화는 살짝 망설였다.

청운의선은 고개를 들고 그녀를 바라보았다. 여전히 그의 얼굴과 귓불은 새빨개져 있었지만, 우화를 바라보는 눈빛은 맑고 깨끗했다. 그건 아픈 사람을 바라보는 의생의 눈빛, 그 이상도 이하도 아니었다.

"말씀하셔도 됩니다."

청운의선은 차분하게 말했다.

"그 어떤 것이든, 의생은 환자의 비밀을 반드시 지켜 주니까요. 이 방 밖으로 새어 나갈 일은 결코 없을 겁니다."

그렇게 눈빛이 맑아져서일까, 그의 목소리도 더 이상 떨리지 않았다. 외려 부드럽고 담담해서 마치 환부(患部)를 쓰다듬고 어루만지는 손길처럼 느껴졌다.

우화는 그런 청운의선의 눈빛과 목소리와 표정을 통해 안도감을 느낀 듯 한숨을 내쉬고는 천천히 입을 열었다.

"한 달에 한 번씩 너무 통증이 심해요."

"아……."

청운의선은 그게 무슨 뜻인지 이내 감을 잡았다.

'월경(月經)을 말하는 거로군.'

"그런 데다가 정확하지도 않아요. 어떨 때는 보름 만에, 어떨 때는 두 달이 넘도록 소식이 없기도 해요."

우화는 살짝 얼굴을 붉히며 말했다.

강호의 여인이 드세고 활달하다고는 하지만 그래도 어디까지나 여인이었다. 너무 부끄러운 까닭에 차마 월경이나 월경 불순이라는 단어를 입에 올릴 수가 없었다.

청운의선은 어디까지나 담담하게, 우화가 더 부끄러워하지 않도록 차분한 어조로 말했다.

"일반적으로 강호의 여협(女俠)들이 여염집 처자들보다 그런 경우가 많습니다. 몸을 격하게 움직이고 무공을 수련하는 까닭에 월경이 불규칙하게 오거나 심지어는 아예 끊기는 경우도 왕왕 있습니다. 안 그래도 바로 그런 이유로 인해 몇몇 여협들께서 소생(小生)을 찾아왔었죠."

우화의 표정이 밝아졌다. 자기 혼자만 그런 부끄러운 고민을 한 게 아니었던 게다. 동료, 선후배들 또한 불규칙한 월경으로 인해 곤란을 겪다가 지금 그녀처럼 이 청운의선을 찾아왔던 것이다.

청운의선은 헛기침을 한 번 하고는 다시 입을 열었다.

"우 소저의 정확한 몸 상태를 알기 위해서 맥을 짚어봐야 할 것 같습니다만……."

"그러세요."

우화가 팔을 걷으며 내밀었다.

부드럽고 가냘파 보이는 팔목이 그대로 드러났다. 햇빛
한 점 쐬지 못한 것처럼 새하얀 피부, 심지어 힘줄과 핏
줄까지 투명하게 내비치는 이 피부의 임자가 당금 무림
의 밤을 지배한다는 절정의 여고수인 게다.

청운의선은 두근거리는 가슴을 애써 진정시키며 그 팔
을 잡고 진맥했다. 우화의 한없이 깊은 눈빛이 가만히 그
를 지켜보고 있었다.

등잔의 불꽃이 가볍게 일렁인다. 불꽃의 그림자가 천
천히 춤을 추면서 바람을 만들어 내고, 그 바람은 잔잔한
수면의 파동처럼 희미하게 사방으로 퍼져 나간다.

그녀의 숨결이 그 바람을 타고 달콤한 향을 흩뿌린다.
그녀의 체취가 미약처럼 방 안 공기를 오염시킨다.

무심코 청운의선의 코가 벌름거린다. 그녀의 숨결과 체
취의 향은 그의 눈썹을 떨리게 만든다.

'이 꿀처럼 달콤하고 꽃처럼 향긋한 향기가 바로 야래
향이라는 건가?'

엉뚱한 생각이 그의 뇌리에 떠오른다. 동시에 그녀의
손을 잡고 있던, 손목의 맥을 짚고 있던 그의 두 손이 파
르르 떨린다. 그의 심장까지 파르르 떨린다.

"많이……."

그녀가 불현듯 걱정스러운 듯한 목소리로 물었다.

"좋지 않은가요? 제 증상이 그리 나쁜가요?"

아마도 청운의선의 손 떨림을 착각하고 오해한 모양이다.

청운의선은 재빨리 정신을 차렸다.

'바보 같으니라고! 환자를 앞에 두고 무슨 망상에 빠져든 게냐? 그러고도 네가 의생이라 할 수 있단 말이냐? 겨우 이 정도밖에 되지 않는 인물이더냐?'

그렇게 스스로를 엄하게 꾸짖은 청운의선은 황급히 그녀의 손목을 놓았다. 그리고는 일부러 더욱 무정하고 무심한 표정을 지으며 말했다.

"아닙니다. 두 달 정도 편히 휴식을 취하면서 약을 복용하신다면 원래의 몸 상태로 되돌아올 겁니다. 또한 월경으로 인한 통증이나 고통까지 치료해 드리겠습니다."

"통증까지요?"

우화의 눈이 커졌다.

"제 사부 말씀으로는 그 고통은 여인으로서 겪는 필연적 고통이라고, 더 이상 아이를 낳지 못하는 몸이 될 때까지는 천형(天刑)처럼 겪어야 하는 고통이라고 하셨는데……."

"아, 그건 우 소저의 사부께서 옛날 분이라 그렇게 말씀하신 겁니다."

청운의선은 짐짓 냉정하게 말했다.

"근 수십 년 이래 의술은 비약적인 발전을 했습니다. 특히 과거에는 무지몽매(無知蒙昧)에 가까웠던 여인병(女人病)에 관해서 더더욱 큰 발전이 있었죠. 바로 월경에 관한 부분이 그렇습니다."

청운의선은 그녀를 바라보지도 않은 채 말을 이어 나갔다.

"뇌공두(雷公頭)라고 있습니다. 방동사니, 향부자라고도 하는 풀인데 기운 순환을 조절하고 뭉친 걸 풀어 주며 통증을 완화시키고 월경을 조절하는 데 탁월한 효능을 보입니다."

"아, 그렇게 효능이 좋은 약초가······."

우화가 감탄했지만 청운의선은 그녀의 말을 듣지도 않고 계속해서 말을 이어 나갔다.

"그 뇌공두에다가 꿀 한 홉, 동정(童貞)의 사내아이 오줌 한 근, 사향초와 박대를 비롯한 열두 가지 약재를 혼합한 후 황주(黃酒), 백탕(白湯)을 가하여 설탕물과 잘 섞어서 건조시킨 다음, 환단처럼 만듭니다."

동정의 사내아이 오줌이라는 말에 우화의 얼굴이 빨개졌다. 청운의선 역시 얼굴이 뜨거워지는 걸 억지로 참으며 말을 이어 나갔다.

"그 환단을 가리켜 뇌공포녀단(雷公抱女丹)이라고 하는

데, 하루에 한 알, 백 일 동안 아침 식사를 하기 전에 드시면 됩니다. 그럼 월경의 날짜는 제자리로 돌아올 것이고, 월경으로 인한 고통이나 통증 또한 사라질 겁니다."

"고마워요. 정말 감사드려요."

우화는 고개를 숙이며 말했다. 언뜻 그녀의 새하얀 목덜미가 청운의선이 시선에 들어왔다. 청운의선은 자리에서 벌떡 일어나더니 문밖을 향해 소리치듯 말했다.

"술상을 봐 왔으면 얼른 가지고 들어와야지. 지금까지 밖에서 뭐 하고 있나, 초악(楚岳)?"

3. 옛날이야기

"초악이라고요?"

설벽린이 저도 모르게 자리에서 벌떡 일어나며 소리쳤다. 객잔 안에 있던 사람들이 깜짝 놀라 그를 돌아보았다.

지금 범정객잔에는 설벽린 일행을 제외하고 모두 여섯 명의 손님이 있었다.

구석진 자리에는 늦은 저녁 식사와 술을 즐기는 두 명의 중년인이 있었는데, 행색이나 지닌 짐으로 보건대 아마도 이 범정산 일대를 중심으로 장사를 하는 장돌뱅이들인 듯했다.

입구 쪽에는 세 명의 노인이 앉아서 술을 마시고 있었는데 다들 하나같이 불쾌한 모양새가 이곳 마을의 술주정뱅이들인 모양이었다.

그리고 창가 쪽에는 한 명의 삿갓 쓴 자가 앉아서 창밖을 바라보면서 홀로 자작(自酌)을 하고 있었다. 그는 다른 사람들과는 달리 설벽린의 소란에도 불구하고 여전히 창밖의 풍광을 지켜보고 있었다.

창밖으로는 마을 어귀가 보였고 그 너머로 범정산의 장엄한 산세가 병풍처럼 둘러쳐져 있었다. 서쪽 하늘에서 시작된 붉은 노을이 거리와 마을 전체를 뒤덮는 중이었다. 날이 어두워지고 있었다.

사람들의 시선이 자신에게로 쏠리자 설벽린은 헛기침을 한 번 하고는 머리를 긁적이며 자리에 앉았다.

그의 느닷없는 고함에 깜짝 놀랐던 지배인은 곧 점소이들에게 손짓했다. 두 명뿐인 점소이들이 대청을 돌아다니며 탁자 위에 마련되어 있던 화등잔에 불을 밝혔다.

설벽린은 목소리를 낮춰 물었다.

"초악이라면 그 초악을 말하는 겁니까?"

"그 초악은 또 뭔데?"

만해거사가 느물거리며 되묻자 설벽린은 인상을 찌푸리며 재차 물었다.

"그 초악이 어디 또 있겠습니까? 바로 금해가의 초악인 거죠. 그 초악이었습니까, 만해 사부의 벗이라는 분이?"

설벽린은 이미 화군악과 장예추 등을 통해서 야래향과 초악에 관한 이야기를 들은 바가 있었다. 그래서 설벽린은 그들이 어떤 사이였는지, 그리고 그 결말이 어찌 되었는지 잘 알고 있었다.

그런 사실을 전혀 모르는 만해거사는 탐탁지 않다는 표정을 지으며 되물었다.

"왜? 나 같은 자에게 초악이라는 친구가 있으면 안 된다는 법이라고 있더냐?"

"아니, 그게 아니라……. 아휴, 뭔 심사가 그리 비비 꼬이셨답니까? 그러니까 대부인께서 사부가 아닌 초악을……."

답답한 나머지 만해거사를 향해 투덜거리던 설벽린은 얼른 입을 다물었다. 스스로 느끼기에도 너무 나간 발언이라고 생각했기 때문이었다.

하지만 만해거사는 개의치 않고 외려 살짝 놀라는 시늉을 하며 물었다.

"호오, 야래향과 초악이 한때 죽고 못 살던 연인 사이라는 걸 알고 있었더냐?"

설벽린은 머리를 긁적이며 대답했다.

"네. 아무래도 대부인에 관한 이야기는 군악을 통해서 많이 들었거든요."

"흠. 군악이라는 아이가 입이 가벼운가 보군그래."

"입이 가벼운 게 아니라 그만큼 우리 사이에 비밀이 없는 거죠. 사실 저에 관한 이야기도 대부분 다른 의형제들이 모두 알고 있으니까요."

"쯧쯧. 사내자식들이 뭔 그리 입이 싸누?"

"입이 싼 게 아니라니까요."

항변하던 설벽린은 다시 길게 한숨을 내쉬었다. 그렇게 호흡을 조절한 그는 조금 침착해진 목소리로 화제를 돌렸다.

"어쨌든 그 초악은 당시 사부를 위해서 일부러 자리를 피했던 모양인데, 굳이 그를 부른 까닭이 뭔가요?"

"배알이 꼴려서지."

만해거사는 툴툴거리듯 말했다.

"나는 그녀의 미모에 혹해서 어찌할 바를 몰라 하는데, 그 녀석은 나를 위해 일부러 자리를 비웠으니까."

설벽린은 그게 무슨 뜻인지 이해했다.

어찌 초악이라고 해서 야래향의 아름다움을 몰라보겠는가. 하지만 초악은 벗을 위해 일부러 야래향과 만나는 자리를 양보한 것이다.

그 사내다움의 차이, 그 배포와 담대함의 차이가 만해거사의 심사를 뒤틀리게 했을 것이다.

'아니, 어쩌면 반대일 수도 있어.'

설벽린은 고개를 갸웃거리며 생각을 이어 나갔다.

'초악이 사부를 위해 자리를 양보했듯, 이번에는 사부가 그를 위해 일부러 불러냈을 수도……. 이미 자신이 대부인과 어울리지 않는다고 생각했던 거지.'

하지만 설벽린의 추측은 게서 끝났다. 만해거사의 다음 이야기가 시작되었던 것이다.

"녀석은 머쓱한 표정을 지은 채 술상을 들고 들어왔고 우리 셋은 술을 마시며 의기투합했지. 뭐, 이미 네 녀석이 결과를 알고 있으니 굳이 길게 이야기할 것 없겠지. 그래. 우화는 내 벗, 초악에게 호감을 느꼈고 초악 역시 그녀를 좋아하게 되었지. 하지만 초악 그 녀석은 여전히 나를 의식해서 좀처럼 그녀에게 다가가지 못했다네."

만해거사는 다시 술잔을 들었다.

* * *

청운의선은 단호한 어조로 말했다.

"나는 그녀에게 아무런 감정이 없네. 그러니 행여나 나를 의식해서 그녀를 멀리할 필요는 전혀 없네."

"하하하."

초악이 너털웃음을 흘렸다.

"그게 왜 자네 때문이라고 생각하지? 내가 그녀를 멀리하는 이유는 그게 아니네."

"그럼 그녀가 사마외도의 인물이기 때문인가? 거짓말 하지 말게. 그렇게 자네가 치졸한 인물이 아니라는 건 내가 잘 알고 있으니."

"으음."

"괜찮네, 나는. 애당초 내게 있어서 그녀는 환자 그 이상도 이하도 아니네. 이번에 뇌공포녀단을 제조해서 그녀에게 전해 주면 두 번 다시 만날 이유가 없는…… 아, 아니군. 자네의 혼인식 때 다시 만날 수 있겠군."

청운의선의 말에 초악은 그답지 않게 살짝 얼굴을 붉혔다. 초악은 계면쩍은 표정을 지으며 청운의선의 어깨를 툭 쳤다.

"이렇게 말을 잘하는 친구가 왜 여인네들 앞에서는 꿀먹은 벙어리가 되는지 원……."

청운의선이 말을 받았다.

"내가 자네에게 반할 일이 없으니까 말을 더듬을 필요도 없는 게야."

"음? 그런 건가? 푸하하하!"

초악은 크게 웃음을 터뜨렸다.

＊　＊　＊

"결국 그렇게 되었지."

만해거사는 다시 술을 따르며 말했다.

"내게 뇌공포녀단을 받은 우화는 건강을 되찾았지. 우리
는 셋이 함께 강호를 유람했고, 그녀는 내 벗과 사랑에 빠지
게 되었네. 그 모습을 보면서 나는 그들 곁을 떠났고……."

만해거사는 술잔을 비우느라 잠시 말을 멈췄다. 설벽린
과 유 노대는 가만히 술을 따라 마셨다.

만해거사가 입술을 훔치며 다시 입을 열었다.

"그게 끝이었네. 얼마 지나지 않아서 정사대전이 발발
했고 그렇게 우리 셋의 인연이 끝났다네. 뭐, 그렇고 그
런 옛날이야기인 게지. 옛날 옛적에…… 라고 시작하지
는 않았지만, 그리고 행복하게 잘 살았단다, 라고 끝나지
도 않은 이야기이기는 하지만 말일세."

만해거사가 거기까지 말할 때였다.

"죄송합니다. 슬슬 문을 닫아야 할 때가 되어서……."

지배인이 눈치를 살피며 다가왔다.

"어, 벌써 그리 되었누?"

만해거사는 이야기를 멈추고 주위를 둘러보았다.

날은 이미 어두워졌고 몇 탁자 있던 손님들 모두 자리
를 떠난 후였다.

객잔 대청에 남아 있는 손님은 오직 만해거사와 유 노
대, 그리고 설벽린뿐이었다. 텅 빈 탁자를 훔치고 있던
두 명의 점소이들은 그들을 힐끔거리며 연신 하품을 하

며 눈치를 주고 있었다.

"그럼 일어나야지."

만해거사가 두 손으로 탁자를 짚으며 끄응, 하고 일어
섰다. 일순 탁자가 흔들리며 만해거사가 크게 휘청거렸
다. 설벽린이 재빨리 그를 부축했다. 만해거사가 쑥스러
운 듯 설벽린의 손을 뿌리치며 투덜거렸다.

"발이 미끄러진 것뿐이다."

설벽린이 웃으며 말했다.

"물론이죠. 열 동이의 술을 혼자 비운 건 아무 상관없
는 일이라니까요."

"열 동이? 그렇게 마셨어, 내가?"

만해거사는 눈을 휘둥그레 뜨며 탁자 주위를 둘러보았
다. 탁자와 탁자 밑에 십여 개의 술 항아리가 놓여 있었다.

"허허. 아직 안 죽었군그래. 이만큼 술을 마시고도 멀
쩡한 걸 보면 말이지."

만해거사가 으쓱거리자 유 노대가 피식 웃으며 핀잔을
주었다.

"자네의 그 뱃살이 다 술배가 아니던가?"

"술배는 무슨……. 근육과 내공으로 뭉쳐진 지방이라
고 해 두게나."

만해거사는 기분 좋다는 듯이 껄껄 웃으며 지배인을 돌
아보았다.

"그래. 우리 셋이 묵을 방이 필요한데."

지배인이 손을 비비며 물었다.

"별채로 가시겠습니까? 아니면 이 층의 숙소로 가시겠습니까?"

객잔(客棧)은 주루(酒樓)와 달리 별채는 물론, 이삼 층에도 손님들이 묵을 수 있는 방들을 만들어 둔다. 이삼 층의 숙소는 별채에 비해 매우 싸다는 장점이 있는 반면, 사생활이 전혀 보장되지 않는다는 불편함도 있었다.

"우리가 돈이 어디 있다고 별채를……."

"별채로 가겠소."

설벽린이 만해거사의 말을 중간에서 끊었다. 동시에 그는 품에서 은자를 꺼내 지배인에게 건네며 말을 이었다.

"꿩국과 오리탕, 그리고 죽엽청 다섯 동이를 가져다주시오."

"아이고, 감사합니다."

지배인은 허리를 숙이며 인사했다.

범정객잔의 뒤뜰에는 세 채의 아담한 별채가 마련되어 있었는데, 다른 두 채에 불이 밝혀져 있는 걸로 보아 이미 다른 손님들이 묵고 있는 듯했다.

"이곳입니다."

지배인은 불이 꺼져 있던 별채로 설벽린 일행을 안내했

다. 그는 객청의 불을 밝히며 말했다.

"술과 음식은 점소이들이 가져다 드릴 겁니다. 필요한 게 있으시면 저기 탁자 위에 놓여 있는 종을 흔드시면 됩니다. 다른 별채에도 손님들이 묵고 계시니까, 너무 자주, 그리고 큰 소리로 흔들지는 말아주십시오."

설벽린이 객청 탁자에 앉으며 지나가는 말처럼 물었다.

"아까 대청에 있던 사람들이 별채의 손님이오?"

"아, 이쪽 별채는 그 행상(行商)들이 묵고 계십니다만 저쪽 별채는 다른 분들이 빌리셨습니다. 어린 소공자 한 분과 늙은 하인들이었죠, 아마? 응? 가만있자…….."

그렇게 말하던 지배인은 문득 고개를 갸웃거리며 중얼거렸다.

"그러고 보니 몇 명이었더라? 세 명이었던가, 네 명이었던가……."

잠시 기억을 더듬던 지배인은 문득 콧잔등을 찌푸리며 머리를 긁적였다.

"헤헤. 나이를 먹기는 먹었나 봅니다. 어제 받은 손님 숫자도 이렇게 깜빡거리는 걸 보면 말입니다. 그럼 편히 쉬십시오."

지배인은 꾸벅 인사를 한 후 객청을 빠져나갔다.

2장.
제왕(帝王)들

하지만 살짝 눈을 내리깔면서 사람들을 훑어볼 때면
오금이 저릴 정도의 강렬한 눈빛이 흘러나왔다.
나지막한 말 한마디는 사람들 가슴 속에서 천둥처럼 울려 퍼졌고,
행여나 눈을 치켜뜰 때면
사람들은 심장마비라도 걸린 듯 숨을 쉴 수가 없었다.

제왕(帝王)들

1. 제왕(帝王)의 기세(氣勢)

"죄송합니다, 소야(少爺)."

백의노인(白衣老人)은 소년 앞에 오체투지(五體投地)를 한 채 빌었다.

"화령봉(花寧峰)에도 천곡봉(天谷峰)에도 그의 흔적은 없었습니다. 아무래도 이곳 범정산 어딘가에 그가 은거하고 있다는 소문은 거짓이 아닐까 사료되옵니다."

그러자 노인의 옆에 역시 오체투지를 하고 있던 청의노인(靑衣老人)이 말을 받았다.

"그의 흔적이 세상에서 사라진 지 수십 년이나 흘렀습니다. 어쩌면 이미 이 세상 사람이 아닐 수도 있습니다.

이렇게 소문 한 자락 부여잡고 범정산 전체를 샅샅이 뒤지는 일은 아무래도…….”

“아무래도 내 실수인 것 같다?”

소년의 말에 두 명의 노인은 화들짝 놀라며 황급히 머리를 바닥에 찧었다. 청의노인이 사시나무 떨듯 떨면서 입을 열었다.

“속하가 어찌 감히 소야의 말씀에 토를 달겠습니까? 천부당만부당합니다. 그저 단지 이렇게 범정산 수십 개 봉우리를 모두 돌아다니면서 찾는 것이…….”

“찾는 것이?”

“아, 아닙니다. 찾겠습니다. 모두 돌아다니면서 찾아보겠습니다. 기필코 찾아내겠습니다.”

“그래?”

소년은 턱을 괸 채 한쪽 다리를 꼬며 비스듬히 앉았다.

일순 소년이 앉아 있는 평범한 차탁이 거대하고 웅장한 태사의처럼 느껴졌다. 턱을 괸 채 두 노인의 정수리를 내려다보는 소년에게서 감당할 수 없는 무시무시한 기세가 뿜어져 나오고 있었다.

제왕(帝王)의 기세(氣勢).

뭇 사람들의 머리를 밟고 홀로 우뚝 서서 천하에 군림하는 자, 제왕. 그 제왕의 거침없는 기세가, 일반 사람은 도저히 흉내조차 낼 수 없는 압도적인 위압감이 이제 갓 십

육칠 세 정도 되어 보이는 소년의 전신에서 흘러나왔다.

소년은 눈이 부실 정도로 아름다웠다. 저 전설의 반안(潘安)과 송옥(宋玉)의 미모가 이랬을까, 할 정도로 뛰어난 용모를 지닌 소년은 무미건조한 목소리로 말했다.

"혈노(血奴)는 어디 있지?"

그의 음성이 끝나기도 무섭게, 객청 벽면에서 음산한 목소리가 들렸다.

"여기 있습니다, 소야."

"너도 불가능하다고 생각하느냐?"

"아닙니다."

음산한 목소리가 대답했다.

"지금까지 찾아본 봉우리의 수가 금정(金頂), 노금정(老金頂)을 포함하여 열일곱 개, 사찰과 암자의 수가 성은사(聖恩寺)를 포함하여 일흔여섯 곳, 그러니 아직 찾아볼 봉우리와 사찰, 암자 모두 합해도 채 쉰 곳이 되지 않습니다. 늦어도 내일모레면 이 범정산 일대에 청운의선이 은거하고 있는지 아닌지 확인할 수 있을 겁니다."

"내일모레라……."

소년은 마음에 들지 않는다는 투로 말했다.

"내일 이맘때까지 그 결과를 가져오도록."

음산한 목소리가 머뭇거리다가 천천히 흘러나왔다.

"그리하겠습니다, 소야."

"청노(靑奴), 백노(白奴) 너희들은?"

소년은 부복해 있는 두 노인을 돌아보며 물었다. 노인들은 부들부들 떨며 힘겹게 입을 열었다.

"반드시 결과를 가지고 오겠습니다."

"좋아."

소년은 처음으로 미소를 지었다. 일순 천 개의 등불이 켜진 듯, 수천 송이의 꽃이 핀 듯 객청이 밝고 환해졌다.

"약속한 거다."

소년은 웃으며 말했다.

"내가 약속 안 지키는 거 제일 싫어하는 거 잘 알지? 흑노(黑奴)하고 풍노(楓奴)가 왜 죽었는지도 잘 알지? 그럼 믿고 푹 잘 테니까. 아암, 내일이 빨리 왔으면 좋겠네."

소년은 차탁에서 훌쩍 뛰어내렸다. 그리고는 길게 기지개를 켜며 객청을 빠져나갔다.

"그럼 난 갈게. 편히들 있으라고."

"편히 주무십시오, 소야."

노인들이 벌떡 자리에서 일어나 그 뒷모습을 향해 허리를 숙이며 대답했다.

이윽고 소년의 모습이 복도 저편으로 사라졌다. 얼마 지나지 않아 쿵, 하고 나지막하게 문이 닫히는 소리가 들렸다. 침소로 들어선 모양이었다.

그때까지 허리를 숙이고 있던 두 노인은 그제야 비로소 허리를 펼 수 있었다.

"휴우."

청의노인, 청노가 이마에 흐르는 땀을 닦으며 한숨을 길게 내쉬었다. 얼마나 긴장하고 있었는지, 아직 한겨울의 날씨였지만 청노의 전신은 땀으로 흠뻑 젖어 있었다.

"그러니까 입조심을 했어야지."

백의노인, 백노가 낮은 목소리로 혀를 차며 말했다. 연신 복도 쪽을 힐끗거리는 것이, 행여 자신들의 대화가 소야라는 소년에게 들리는 건 아닐까 하고 그게 걱정하는 눈치였다.

"그래도 다행히 소야께서 크게 아량을 베푸신 덕분에 최소한 팔 하나 온전히 살릴 수 있었던 게야."

"나도 그리 생각하네."

청노는 차탁에 철썩 주저앉으며 재차 한숨을 내쉬었다. 마치 저승 구경이라도 하고 온 듯한 표정이었다.

그때였다.

벽면에서 붉은 물체가 스멀거리며 빠져나온다 싶더니, 어느새 붉은 옷을 걸친 노인의 모습으로 변했다.

그렇게 벽을 빠져나온 혈의노인(血衣老人), 혈노는 아무렇지 않다는 듯 다른 차탁에 앉으며 입을 열었다.

"지금 그런 이야기 나누고 있을 때가 아닌 것 같은데."

"그럼?"

백노가 묻자 혈노가 당연하다는 듯이 대꾸했다.

"소야께서 내일 이맘때까지 결과를 가져오라고 하셨잖나?"

일순 백노, 청노의 얼굴이 창백해졌다. 청노가 울상을 지으며 타박하듯 말했다.

"왜 내일모레라고 했나? 애당초 삼사일 걸릴 거라고 말씀드렸다면 사흘 정도 기한을 주셨을 텐데."

"자네는 아직도 소야를 모르나?"

혈노가 무덤덤하게 말했다.

"내가 삼사일 이야기했어도 당장 내일까지라고 하셨을 분이다. 기다리고 참고 인내하고, 이런 것들과는 아예 척을 지신 분이시니까."

"하, 하기야 그렇기는 하지."

청노가 떨떠름하게 말했다. 그리고는 길게 한숨을 내쉬며 넌더리를 쳤다.

"차라리 소공자 시절이 더 나았던 것 같네. 소야라고 부르게 된 이후에는 그야말로 언제 죽을지 모르는 파리 목숨이……."

"허어, 자네."

다른 노인들과는 달리 여태 우두커니 서 있던 백노가 눈살을 찌푸리며 청노의 말을 잘랐다. 그는 복도 쪽을 힐끗거리며 청노에게 눈치를 줬다.

청노가 아차, 하는 얼굴로 복도 쪽을 살폈다. 복도 저편에서는 아무런 기척도 들리지 않았다. 청노가 안도의 한숨을 내쉬었다.

"진짜 그 입 때문에 한번 경을 칠 게야, 자네는."

백노가 멀리 떨어져 있던 차탁을 끌어와 앉으며 말했다. 그들의 바로 곁에는 조금 전까지 소야가 앉았던 차탁이 있었지만, 누구 하나 감히 그 자리에 앉으려고 하는 이가 없었다.

그때 혈노가 화제를 돌렸다.

"어찌 되었든 내일까지 모든 봉우리와 사찰, 암자를 다 뒤져서 그 늙은이가 이곳에 있는지 없는지 반드시 확인해야 할 걸세. 그렇지 않으면 우리도 흑노나 풍노 꼴이 될 테니까."

"그렇다고 내일 하루 만에 그 많은 봉우리를 어찌 다 수색할 수가……."

"그러니 지금 이렇게 태평하게 앉아서 잡담을 나눌 때가 아니라는 게야."

혈노는 무심한 표정을 지은 채 말을 이었다.

"그나마 다행인 것은 아직 수색하지 않은 봉우리들이 군데군데 몰려 있다는 거지. 첩루봉을 비롯해서 몇 개의 봉우리, 사자봉(獅子峰)을 비롯한 몇 개, 그리고 연화봉

(蓮華峰)을 위시한 서네 개의 봉우리. 이렇게 말이지. 우선 나는 첩루봉 쪽을 돌아볼 생각이네."

백노가 고개를 끄덕이며 말을 받았다.

"그렇다면 내가 사자봉과 그 일대의 봉우리를 수색하겠네."

청노가 한숨을 쉬며 말했다.

"나는 연화봉 쪽을 맡지."

"그럼 다들 내일 보세."

혈노가 자리에서 일어났다.

이미 한밤중이었지만 상관이 없었다. 첩루봉과 그 일대의 봉우리들을 다 둘러보려면 지금 당장 움직여야 했다. 그래도 내일 이맘때까지 모든 산을 둘러볼 수 있을지 확신이 없는 상황이었다.

혈노가 자리에서 일어나자 다른 두 노인도 끄응, 하며 차탁에서 일어섰다.

"그럼 반드시 결과를 가지고 올 수 있기를."

그들은 곧장 객청을 빠져나왔다.

이미 날은 어두워졌다. 먹구름까지 꼈는지 밤하늘에는 별빛 한 점 찾을 수가 없었다. 오직 범정객잔 후원의 석등들이, 그리고 저 멀리 떨어져 있는 별채의 불빛만이 시야를 밝혀 줄 따름이었다.

별채를 나서자마자 혈노는 곧장 지면을 박차고 어두운

밤하늘 저편으로 사라졌다.

"그럼 나도……."

청노 또한 혈노와 정반대 방향으로 몸을 날렸다. 마지막으로 남은 백노는 별채를 떠나기에 앞서 주변을 둘러보다가 문득 눈빛이 가늘어졌다.

"흠, 오늘 오후까지 비어 있던 별채였는데……."

그렇게 중얼거리는 백노의 시선은 객청에 불이 밝혀져 있는 별채에서 멈춰 있었다. 누구인지는 모르겠지만 오늘 새로 저 별채를 찾은 손님이 있는 것이다.

물론 백노는 크게 의아해하지 않았다. 원래 객잔의 별채라는 곳이 오가는 여행객들이 묵기 위해 만들어진 것이고, 범정객잔은 이 마을에서 유일한 객잔이었으니까.

잠시 그 별채를 바라보던 백노는 가볍게 호흡을 가다듬은 후, 가볍게 지면을 박차고 허공으로 날아올랐다.

스팟!

허공을 가르는 파공성과 함께 이내 그의 신형이 어둠 저편으로 사라졌다.

2. 제왕의 품격(品格)

'으응?'

유 노대는 귀를 쫑긋거렸다. 희미한 기척이 밤바람을 타고 들려온 까닭이었다.

그는 힐끗 고개를 돌려 창밖을 바라보았다. 창을 통해 보이는 정원은 어둠에 잠겨 있었고, 더 이상 아무런 기척도 들리지 않았다.

유 노대는 고개를 갸웃거렸다.

방금 전 들었던 희미한 소음, 그건 확실히 허공을 가르고 날아가는 파공성이었다. 그것도 일류, 아니 절정의 경지에 오른 경공술을 펼칠 때 나는 소리.

'설마…….'

잠시 의혹에 잠겼던 유 노대는 이내 피식 웃으며 고개를 설레설레 흔들었다.

'걱정도 팔자다. 아무리 철목가의 위세가 대단하다 할지라도 예까지 우리를 뒤쫓아 올 수는 없는 노릇. 너무 내가 과민한 모양이구나.'

아마도 바람 소리였으리라.

이 시골 한적한 객잔에서 자신과 버금가는 경공술의 고수를 만날 확률보다는, 바람 소리를 파공성으로 착각했을 가능성이 훨씬 더 높았다.

유 노대는 그렇게 한 점 남은 의혹을 떨쳐 내고는 다시 만해거사와 설벽린의 대화에 집중했다. 마침 만해거사가 설벽린에게 질문을 던지고 있던 참이었다.

"그래. 네 의형제가 오대가문을 상대할 정도로 잘난 건 인정하마. 뭐, 인정까지는 아니더라도 그렇다고 해 두지. 굳이 본 적도 상대한 적도 없는 녀석들의 무공 수위를 가지고 왈가왈부해 봤자 아무런 소용이 없으니까. 하지만 설령 네 형제들이 그리 강하다고 해도 이상한 점이 한둘이 아니다. 우선 태극천맹은 오대가문이 그런 수모를 겪는 동안 도대체 무엇을 하고 있단 말이냐?"

설벽린은 차분하게 말했다.

"태극천맹이 우리 편이거든요."

"엥?"

만해거사의 눈이 휘둥그레졌다.

"태극천맹이 너네 편이라니? 그렇다면 지금 태극천맹과 오대가문이 싸움이라도 벌이고 있다는 게냐? 내분이 일어난 게냐? 으음, 믿을 수 없구나. 아무리 태극천맹의 위세가 드높다 하더라도 결국에는 오대가문의 수족(手足)일 따름인데 말이지."

"그 전 맹주까지만 해도 그런 경향이 없지는 않았죠. 하지만 이번에 선출된…… 아니, 이번이라고 하기에도 벌써 꽤 오랜 시간이 흘렀네요. 어쨌든 새로 선출된 정 맹주는 조금 다르거든요. 어쩌면 오대가문의 영향권 내에서 벗어나 태극천맹 스스로, 독자적으로 의사 결정을 할 수 있는 집단으로 변모하려고 하는 것인지도요."

만해거사의 질문이 길어지자 설벽린의 대답도 길어졌다. 만해거사는 눈살을 찌푸리며 입을 열었다.

"그렇지만 그게 맹주 하나 바뀌었다고 될 일이 아니다. 애당초 태극천맹 내에는 오대가문의 수하들과 그들을 동조하는 세력, 집단들이 무수히 많은데 그들은 어쩌고 맹주 혼자서 천맹을 좌지우지할 수 있단 말이냐?"

"글쎄요."

설벽린은 어깨를 으쓱거렸다. 그리고는 더없이 진지한 어조로 말을 이어 나갔다.

"그건 저도 잘 모르죠. 그들을 협박했든 설득했든 어쨌거나 태극천맹의 구중심처(九重深處)에서 벌어진 일들이니까요. 그걸 우리가 어찌 알겠습니까? 하지만 한 가지는 확실히 알고 있습니다. 정 맹주가 결코 평범한 사람이 아니라는 거요. 비록 한두 번밖에 만나지 못했지만 저는 바로 그 정 맹주에게서 제왕의 품격(品格)을 느꼈거든요."

"제왕의 품격?"

만해거사의 눈이 동그랗게 변했다.

* * *

커다란 원탁(圓卓)에는 열세 명의 남녀가 앉아 있었다.

적게는 사십 대에서 많게는 육십 대로 보이는 노인까지, 모두 새하얀 백의를 걸치고 진중한 표정을 지은 채 원탁의 한 곳을 바라보고 있었다.

사람들의 시선이 집중된 자리. 그곳에는 청수하게 생긴 중년인이 앉아 있었다.

그저 담담한 미소를 지은 채 가만히 앉아 있는데도, 그에게서는 압도적인 위압감이 흘러나오고 있었다. 천하를 지배하는 자에게서만 느낄 수 있는 품격이 후광(後光)처럼 그의 전신을 감싸고 있었다.

사십 대 중후반. 전체적으로 호리호리한 체형의, 부드럽게 잘생긴 문사 풍의 중년인. 차분하고 따스한 눈빛의 소유자. 바로 그가 이제 십 년 임기의 절반을 보내고 있는 태극천맹의 이대 맹주, 정문하였다.

그의 오른쪽에는 거의 일흔이 되어 보이는 노인이 앉아 있었다.

작은 체구에 항아리 같은 체형이, 어디 돈 많은 집 노인네처럼 보이기도 하지만, 그래도 가끔씩 번뜩이는 서늘한 눈빛만으로도 어지간한 무인들은 오금이 저려 꼼짝하지 못할 듯 보였다.

태극천맹의 감찰기구이자 맹주의 직속 기관 중 하나인 태극감찰밀(太極監察密)의 밀주(密主) 무원환(戊圓奐)이 바로 이 노인이었다.

무원환의 옆자리에는 매부리코의 노인이 앉아 있었다. 눈빛은 강렬했으며 수염은 근엄했고, 일자로 꽉 다문 입술은 완고한 성정을 드러내 보였다.

육십 대 초중반으로 보이는 이 강퍅한 외모의 노인은 태극천맹의 절반, 혹은 전부라 할 수 있는 내전(內殿), 혹은 본전(本殿)이라 불리는 총본산(總本山)을 관리하고 다스리는 본천주(本天主) 사마탁(司馬琢)이었다.

태극천맹은 크게 본천(本天)과 외천(外天)으로 나뉜다. 본천은 천맹의 본산 그 자체를 뜻하며, 다시 칠전(七殿) 삼십육단(三十六團) 백팔당(百八堂)으로 조직되어 있었다.

그 본천이 태극천맹의 뿌리라면 외천은 전국 각지로 뻗어 있는 가지와 같았다.

외천은 외천주(外天主)를 중심으로 하여 남북십삼성에 열세 개의 성전(省殿)을 두고, 각 성전에 다시 예닐곱 개의 지부를 두어서 총 백팔지부(百八支部)와, 태극천맹의 정예 무사들을 키워 내는 백팔연단관(百八鍊丹關)이라는 조직을 함께 관장하는 거대한 조직이었다.

거기에 백팔원로회(百八元老會)라 해서 태극천맹에 참여하는 각대문파에서 파견한 장로급 이상의 노고수들이 모인 기구도 있었고 맹주의 직속기관인 태극감찰밀도 있었으니, 태극천맹의 그 거대함은 쉽게 상상할 수 없을 정도의 규모라 할 수 있었다.

그리고 이곳 집무실 원탁에 둘러앉아 있는 이들은 그 거대한 태극천맹을 이끄는 수뇌들로, 맹주와 밀주, 본천주 이외에도 본천 칠전주(七殿主), 총사(總師), 거기에 백팔원로회의 두 노기인이 함께 하고 있었다.

"최(崔) 본천주는 현재 불산(佛山)에 있어서 참석하기 힘들다고 연락이 왔습니다. 대신 본인은 전적으로 이번 회의의 결과를 따르겠다고 확언(確言)해 주었습니다."

맹주 정문하를 보필하며 그의 명령과 지시를 집행하고 맹 내의 대소사(大小事)를 관리하는 인물, 정문하의 오른팔이라고 불리는 총사 하덕문(河德文)이 차분한 어조로 말했다.

"현재 연락을 받고도 불참 의사를 밝히거나 아예 답변도 하지 않고 이 자리에 참석하지도 않은 이들은 모두 열두 명, 그중에서 가장 신경 써야 할 자는 역시 오(吳) 하남전주입니다."

오 하남전주라면 섬전팔비(閃電八臂) 오난파(吳暖波)를 가리키는 것으로, 부전주였던 십여 년 전부터 급속도로 세력을 넓히며 많은 인재들을 영입했다.

그 결과, 오 년 전 그는 새로운 하남전주가 되었으며 이후에도 계속해서 자신의 세력을 확장시켜서 지금은 외천의 천주 자리를 노릴 정도의 거물로 성장했다.

십 년 전만 하더라도 일개 부전주에 불과했던 오난파가 이토록 거물로 성장할 수 있었던 것에 대해서 사람들은 그가 오대가문의 후원을 받는 게 아닌가, 하고 생각했다.

사실 섬전팔비라는 별호처럼 그의 빠르고 강력한 수공(手功)은 가히 강호의 일절(一絕)이라 불릴만했다.

하지만 그럼에도 불구하고 그의 무공 수위는 태극천맹 내에서 가까스로 백 위 안에 들 정도였으니, 겨우 그 정도 무위를 지닌 자가 태극천맹 서열 오 위 안에 드는 외천주의 자리를 넘본다는 건 확실히 누군가의 도움을 받지 않고서는 결코 불가능한 일이었다.

"확실하지는 않지만 아무래도 건곤가와 끈이 닿아 있는 것 같습니다."

하덕문은 그렇게 보고했다.

"오랫동안 조사하고 염탐을 했지만 그쪽 역시 워낙 철저하게 방비한 까닭에 확정을 지을 수 있는 증거는 결국 찾을 수가 없었습니다. 그러나 오대가문 중에서 가장 적극적으로 세력을 확대하고 천하 군림의 야욕을 드러낸 곳은 역시 건곤가뿐, 그러니 오 하남전주의 뒷배를 봐주는 게 그들이 아닐까 하는 합리적 의심을 하기에 충분합니다."

"어디까지나 의심에 불과한 게 아니오?"

백팔원로회의 노기인 중 한 명인 언백광(彦栢廣)이 하

덕문의 추측에 딴죽을 걸었다.

언백광은 권격술로 유명한 진주언가(晋州彦家)의 장로였는데, 백팔원로회를 이끄는 칠인(七人) 중 한 명이었다.

하덕문은 그를 돌아보며 정중하게 말했다.

"물론 아직 그 어떤 증거도 발견하지 못한 이상 언 장로께서 말씀하신대로 어디까지나 의심에 불과합니다. 그러니 염려하지 않으셔도 됩니다. 확실한 증거가 없는 이상에는 그리 간단하게 오 하남전주와 척을 질 생각은 없으니까요."

말을 마친 하덕문은 마치 언백광의 마음 깊은 곳을 뚫어보고 있다는 듯이 미소를 지었다.

언백광은 살짝 눈살을 찌푸렸다. 비록 위정척사(衛正斥邪)의 대의(大義)를 가지고 합류하기는 했지만 역시 하덕문은 영 마음에 들지 않았다.

평생을 무인으로 살아온 입장에서, 간계나 흉계로 대변되는 계략이나 뒷공작에 특화된 저 하덕문이 마음에 들리가 없는 것이다.

아니, 무엇보다 지금 저렇게 언백광의 속내를 읽었다는 표정을 아무 거리낌이 없이 내비치는 저 자신만만함이 더없이 불쾌하고 짜증이 났던 것이다.

'그래. 내 손주 녀석이 지금 그 오 하남전주의 밑에서

일하고 있다. 하지만 그렇다고 내가 공사(公私)를 혼동하여 일을 그르칠 거라고 생각하는 겐가?'

지금 하덕문의 미소가 꼭 그렇게 말하고 있는 것 같아서 언백광은 영 마땅치 않았다.

언백광의 막내 손자 언초운(彦初澐)은 십여 년 전 백판연단관의 수련생이었는데, 당시 하남성전의 부전주였던 오난파가 직접 언초운을 지목하여 자신의 수하로 삼았다.

이후 십여 년이 흐르면서 언초운은 괄목상대(刮目相對)할 정도의 실력과 공훈(功勳)을 쌓으면서 이제는 오난파의 확실한 오른팔이 되어 활약하는 중이었다.

언백광이 내심 불쾌한 생각을 지우지 못하는 동안, 하덕문의 보고는 계속해서 이어졌다.

그의 이야기는 태극천맹 내부의 세세한 일부터 시작하여 강호 전반의 사안, 그리고 현재 급변하고 있는 정세까지 미치지 않는 곳이 없었다.

"그리하여 지금 철목가주는 삼군 오백여 명의 정예 부대를 이끌고 사천 성도부로 진격 중입니다. 반면 무적가 역시 수백 명의 절정 고수들이 천자산을 출발 성도부로 향하고 있다는 보고가 있었습니다. 아마도 성도부에서 몰살하다시피 한 무적가의 잔존 인원들을 구원하기 위한 움직임이 아닐까 싶습니다."

"으음…… 대충 설명을 들어 알고는 있지만, 그래도 쉽게 믿어지지 않소이다."

본천주 사마탁이 턱수염을 쓰다듬으며 입을 열었다.

"겨우 다섯 명에 불과한 무림오적이라는 자들이 천하의 오대가문 중 두 개의 가문과 정면으로 맞서 싸우다니요."

"어디 두 개의 가문뿐이겠습니까?"

맹주 정문하가 담담하게 말했다.

"과거 황궁 연쇄살인 사건을 기억하십니까?"

"물론 기억하오이다."

정문하의 질문에 사마탁이 고개를 끄덕이며 대답했다.

"황제 자리를 노린 삼황자의 역모였다고 이야기를 들었소이다만……."

"맞습니다."

정문하는 고개를 끄덕이며 말했다.

"그 사건 역시 무림오적 중의 한 명이 해결했답니다."

"허어!"

정문하는 놀라는 사마탁을 보며 부드럽게 말을 이었다.

"그리고 무림오적과 본인, 그리고 황태자와의 삼각 밀약(密約)이 맺어진 게 바로 그 결과라고 할 수 있습니다."

그의 입에서 황태자라는 단어가 흘러나오는 순간 사람

들의 표정과 눈빛이 달라졌다. 사마탁 또한 저도 모르게 마른침을 꿀꺽 삼키며 입을 다물었다.

정문하는 좌중을 둘러보며 말했다.

"다시 한번 말씀드리지만, 이번 일은 강호무림뿐만 아니라 황궁의 운명까지 걸린 사안이라 할 수 있습니다. 그러니 부디 사사로운 감정이나 판단은 거둬들여 주시기 바랍니다."

일순 언백광은 저도 모르게 움찔거렸다. 계속해서 정문하의 말이 이어지고 있었다.

"그럼 오대가문과의 전쟁에 대한 계획은…….."

3. 제왕의 관자놀이

"아직도 그 꼬리를 잡지 못했소?"

주완룡(朱完龍)은 살짝 눈살을 찌푸리고는 집게손가락으로 관자놀이를 짚으며 물었다.

그는 여전히 풍채 좋고 사람 좋아 보이는 인상의 중년인이었지만, 그럼에도 불구하고 감히 범접할 수 없는 위엄과 품위가 절로 흘러넘치고 있었다.

사실 지금 주완룡의 모습은 형편이 없었다. 고된 업무에 조금은 피곤한 듯 눈 밑에 검은 그늘이 내려앉아 있었다. 피부색도 좋지 않은 듯했고 까칠까칠해 보이는 것이, 확실히 휴식이 필요한 듯 보였다.

하지만 살짝 눈을 내리깔면서 사람들을 훑어볼 때면 오금이 저릴 정도의 강렬한 눈빛이 흘러나왔다.

나지막한 말 한마디는 사람들 가슴 속에서 천둥처럼 울려 퍼졌고, 행여나 눈을 치켜뜰 때면 사람들은 심장마비라도 걸린 듯 숨을 쉴 수가 없었다.

물론 천하에는 제왕의 기세를 지닌 자도 있을 것이고, 또는 제왕의 품격을 지닌 이도 있을 것이다.

하지만 주완룡은 아예 그릇이 달랐다. 그야말로 천하를 지배하는 자의 기세와 위엄과 품격을 다 지닌 자, 그게 바로 황태자 주완룡이었다.

그는 천자(天子)의 아들이었고, 다시 오래된 천자의 뒤를 이어 새로운 천자가 될 인물이었다.

"죄송합니다, 태자 전하."

나이 든 환관이 고개를 숙인 채 말했다.

"서창(西廠)의 모든 인력을 동원하여 조사하고 있습니다만, 애당초 강호무림이라는 곳이 워낙 은밀하고 신비로운 구석이 많은 까닭에…… 삼황자와 관계된 무림인들을 생각보다 쉽게 찾을 수가 없습니다."

쭈글쭈글하고 말라비틀어진 것이, 바람 한 번 불면 그대로 날아갈 것만 같은 키 작은 노환관(老宦官)이었다.

아무리 적게 잡아도 일흔은 족히 넘어 보이는 늙은이였으나, 의외로 그 목소리는 카랑카랑하고 힘이 넘치고 발음이 정확해서 매우 듣기 좋았다.

"동창은?"

주완룡이 묻자 노환관은 기다렸다는 듯이 대답했다.

"혹시 남은 잔당들이 움직이지 않을까 하여 요 몇 달 동안 동창에 대한 감시를 느슨하게 하고 있습니다만, 별다른 움직임이 없습니다."

"흐음."

"강만리라는 자의 말에 따르자면 건곤가라는 무림 가문이 그 배후에 있을 거라고 하지만, 아직까지 그 확정적인 증거를 찾지 못했습니다. 그렇다고 무작정 그들을 잡아들여서 자백을 받아 내기에는……."

"그건 안 되지."

주완룡은 가볍게 인상을 찌푸리며 말했다.

"과거에는 그리했을지 모르겠지만 앞으로는 절대 그런 식으로 일을 처리하지 않을 것이오. 제대로 된 수사를 통해서 명확한 증거들을 확보하여 죄를 묻는 것이 순리인 게지. 고문이나 협박이나 거짓 증거들로 죄인을 만드는 일은 두 번 다시 없을 것이오."

"물론입니다, 전하."

노환관은 담담하게 말했다.

"안 그래도 그렇게 과거의 악행(惡行)과 단절하기 위해서 우리 서창을 새롭게 복원시킨 게 아니십니까?"

"물론이오, 유 독주(督主)."

주완룡은 근엄한 표정을 풀더니 빙긋 웃으며 말을 이었다.

"그러니 앞으로 잘 부탁드리오."

노환관은 재차 허리를 숙이며 말했다.

"최선을 다해 전하의 명을 따르겠습니다."

그렇게 말하는 이 노환관은 서창이라는 조직의 우두머리, 서창독주(西廠督主) 유복근(劉福勤)이었다.

과거 삼황자 주건(朱建)의 역모(逆謀) 당시 동창의 적지 않은 중진급 고수들이 그 역모에 가담했고, 그 결과 동창 제독태감 양옹(梁甕)은 수하들의 반역을 감지하지 못한 죄로 모든 관직을 삭탈, 곤장 오십 대의 형벌과 함께 옥에 갇혔다.

또한 동창의 행동 기관이라 할 수 있는 무집사는 아예 전면적으로 해체되었으며, 동창의 기능 또한 크게 축소되었다.

그렇게 유명무실하게 된 동창 대신 주완룡은 이미 폐기 처분되었던 서창을 다시 복원한 후 대태감(大太監) 유복근을 독주(督主)로 임명하여 권력을 주고 다시 동창을 감시하고 관리하는 임무까지 부여했으니, 동창의 위세는 그야말로 추풍낙엽(秋風落葉)의 신세가 되고 말았다.

사실 서창은 과거에도 동창의 견제 기관으로 만들어졌다가 그 권력이 비대해지면서 온갖 만행을 저지르는 바람에 결국 해체된 적이 있었다.

주완룡은 새롭게 서창을 부활시키면서 물론 이번에도 그럴 가능성이 없지 않을 것이라고 판단했다. 굳이 동창이나 과거 역사를 들추지 않더라도, 권력이 어느 한 조직에 집중되면 반드시 부패하기 마련이었으니까.

그래서 주완룡은 서창이 예전의 동창처럼 막강한 권력을 행사하지 못하도록 몇 가지 보완을 하고자 했다.

첫 번째로는 자신의 오른팔이라 할 수 있는, 몇 년 전부터 환관직에서 물러나기를 소원했던 유복근을 서창의 제독태감, 독주로 임명했다.

두 번째로는 내각(內閣)에다가 동창의 무사들을 일정 수 차출할 수 있는 권한을 주어서 서창을 견제할 수 있는 힘을 실어 주었다.

원래 내각이라는 조직은 궁중 도서관을 의미했고, 그곳의 수장인 대학사(大學士)는 도서관의 관장에 다름이 없었다.

하지만 애당초 황제에게 조언을 할 수 있는 데다가, 정무에 바쁜 황제의 일을 보좌하게 되면서 비서관의 역할까지 하게 되었으며 그로 인해 나중에는 육부상서의 상위(上位)에 준하는 예우를 받게 되었다. 그렇게 되면서 대학사는 명실공히 조정 최고의 수장이 되었다.

내각에는 보통 세 명에서 여섯 명의 대학사가 있어서 각자 맡은바 업무를 관장한다. 그 대학사들의 서열에 따라서 수보(首補), 차보(次補), 삼보(三補) 등으로 불리는데, 현재 내각대학사 중 수장이라 할 수 있는 수보는 섭동천(葉棟闡)이라는 인물이었다.

섭동천은 수 년 전 황궁연쇄살인사건 당시 사천성 성도부의 전직 포두였던 강만리라는 자를 등용, 그 사건은 물론 배후의 삼황자 역모 사건까지 해결하는 공을 세웠다.

그로 인해 섭동천은 앙숙이라 할 수 있는 동창의 독주 양웅을 제거하는 동시, 현재 최고의 권세를 누리는 권력가가 되었다.

그럼에도 불구하고 굳이 섭동천에게 동창의 무사들까지 부릴 수 있는 권력을 준 까닭은 역시 무력(武力)이 뒷받침되어야만 제대로 힘을 발휘할 수 있다는 생각 때문이었다.

무력이 없으면 내각은 그저 이름뿐인 최고 조직이 될 수 있었다. 내각의 지시와 명령이 제대로 수행되기 위해서는 반드시 그에 걸맞은 무력이 필요했다.

주완룡은 아예 내각에다가 해체된 무집사의 고수들을 합류시킬까 하는 고민까지 했으나, 결국 대부분의 권한을 서창에게 넘겨준 동창의 무사들을 차출하는 데에서 정리했다.

주완룡은 그렇게 서창과 내각에 동등한 힘을 실어 주는 것으로 만족하지 않았다.

애당초 주완룡은 삼족지정(三足之鼎)이라고 해서, 모든 조직은 세 발로 균형을 잡는 게 가장 조화롭고 안정된 자세라는 게 역시 그의 지론이었다.

그래서 주완룡은 기존의 금의위(錦衣衛)를 좀 더 강화하고 많은 권한을 주었다.

우선 동창의 첩형 이하의 관원을 금의위에서 선발하는 관례를 폐지했다. 애당초 그 관례는 워낙 동창의 위세가 드높았던 까닭에 금의위의 무사들이 동창으로 이직, 차출되기를 원해 만들어진 관례였다.

사실 금의위는 나라에 공이 있는 훈신이나 황실과 혈연 관계에 있는 무사들로 운영되기 때문에 금의위의 위상만 높여 준다면 굳이 스스로 동창의 수하를 자처할 이유가 없었다.

주완룡은 금의위의 수장인 도독(都督)과 위장(衛將)들의 품계(品階)를 한 단계 높여 주었으며, 금의위들의 녹봉을 크게 올려 주었다.

또한 그는 법적으로 동창이나 서창, 그리고 내각에서 함부로 그들을 차출하거나 지휘, 명령을 할 수 없게 하여, 완벽한 하나의 독립 기관으로 존재하게끔 만들었다.

그렇게 조직들을 새로 개편하면서 동창의 위세는 땅바닥으로 떨어지고 서창과 내각, 금의위가 삼족지정의 형세로 균형을 맞추고 조화를 이루는 형국이 되었다.

주완룡의 생각대로라면 그야말로 태평천하(太平天下)가 되어야 마땅했다. 하지만 세상일이라는 게 그렇게 생각하는 것처럼 좋게좋게 흘러갈 리가 없었다.

막강한 권력을 쥐고 세상만사를 쥐락펴락하다가 몰락한 자들은 복수와 재도약을 꿈꾸고, 졸지에 거대한 권력을 쥐게 된 이들은 행여 그 권력이 모래알처럼 손에서 흘러나가지 않을까 전전긍긍하였다.

물론 서창독주 유복근이나 수보대학사 섭동천, 그리고 금의위 도독 모두 주완룡의 심복이기는 했지만, 안에서 밖에서 그들을 흔들어 대는 바람은 점점 더 거세지고 있었다.

지금 노환관 유복근의 좌우로는 내각의 섭동천과 금의위의 도독 홍무영(洪武英)이 허리를 굽히고 있었는데, 유복근의 이야기가 끝나자 섭동천이 조심스레 입을 열었다.

"조(曺) 귀비(貴妃)의 움직임이 심상치 않습니다."

일순 주완룡의 짙은 눈썹이 꿈틀거렸다.

"조 귀비께서?"

섭동천이 낮은 목소리로 소곤거리듯 말했다.

"종종 조 귀비의 거처에서 동창 환관과 무사들의 모습을 볼 수 있다고 합니다."

"흐음, 왜?"

"자세히는, 그리고 확실하게는 알아내지 못했습니다만…… 아무래도 조 귀비에게 무슨 꿍꿍이가 있지 않나 싶습니다."

"허어, 이것 참."

주완룡은 저도 모르게 손가락으로 관자놀이를 짚었다. 하나를 해결하면 또 다른 하나가 문제를 일으키는 것이다. 이번에는 그것도 하필이면 부황(父皇)의 총애를 잔뜩 받고 있는 조 귀비인 게다.

황제의 부인을 황후(皇后)라 했다.

그 아래로 네 명의 비(妃)가 있어 각각 귀비, 숙비, 덕비, 현비라 하는데 그중 귀비는 제일왕비(第一王妃), 황후 다음의 권력을 지니고 있었다.

비 아래로는 다시 구빈(九嬪)이 있고, 또 구첩부, 구미인, 구재인 등이 있었으며 다시 그 밑으로 보림 스물일곱 명, 어녀 스물일곱 명, 채녀 스물일곱 명이 있어서 그들 백스물두 명이 황제의 정식 처첩(妻妾)이 되었다.

물론 그 외에도 기명(記名)을 올리지 못한 후궁이나 일반 궁녀들까지, 황제가 마음만 먹는다면 얼마든지 건드릴 수 있는 여인의 수가 수백에 이르렀지만, 다행인지 불행인지 현 황제의 경우에는 성적(性的)으로 담백한 성품인지라 현재 동궁(東宮)에 기거하는 비빈과 후궁의 수가 겨우 칠십여 명에 불과했다.

하지만 그렇게 담백한 성품의 황제이기 때문에 반대로 그에게 총애를 받게 된다면 그만큼의 주목을 받게 될 수밖에 없었다.

조 귀비의 경우, 수많은 조정 대신들이 그녀의 눈에 들기 위해 아첨하고 매일같이 선물을 보내며, 또 그녀에게 갖은 청탁을 하기 위해 길게 줄을 섰다.

그러니 어찌 보면 날개 부러져서 그 위세가 땅바닥까지 떨어진 동창의 사람들이 그녀에게 줄을 대려고 하는 건 당연한 일인지도 몰랐다.

하지만 겨우 그 정도 사안을 가지고 천하의 수보대학사가 굳이 입에 올릴 리가 없었다.

'분명 또 다른 문제가, 저 셋째 아우의 난(難)처럼 곤란하고 해결하기 힘든 문제가 생긴 것이다.'

주완룡은 그리 생각하며 천천히 입을 열었다.

"도대체 조 귀빈께서 무슨 꿍꿍이라는 것인지 자세히 이야기해 보시오."

3장.
삼인삼색(三人三色)

하지만 강만리는 절대로 한가롭지도 않았으며
느긋하게 세월을 보내고 있지도 않았다.
아니, 지금 그는 그 어느 때보다도 정신없이 바빴다.
단지 지난 사흘 동안 제대로 잠을 자지도 못했고 씻지도 못한 까닭에
연신 하품이 나오고 온몸이 간지러울 따름이었던 것뿐이었다.

삼인삼색(三人三色)

1. 주완룡

당금 황제에게는 여덟의 아들과 여덟의 딸이 있었다.
다행스럽게도 수많은 비빈이 있었지만, 황제는 황후에게
서 첫아들을 보았고 그가 곧 황태자 주완룡이었다.

하지만 황후의 자식은 주완룡이 전부였다. 다른 여섯
의 아들과 여덟의 딸은 모두 비빈들의 자식이었고, 그런
까닭에 주완룡을 없애고 자기 아들을 황태자로 옹립하고
싶어 하는 비빈들이 적지 않았다.

삼황자는 이황자와 함께 숙빈의 자식이었다. 애당초 삼
황자의 난이 실패하면서 숙빈 또한 그와 더불어 귀양을
가야 함이 옳았으나, 이황자와 주완룡의 간곡한 부탁으

로 인해 숙빈의 귀양은 없던 일이 되었다.

하지만 그 후 숙빈은 동궁 거처에 갇혀서 살게 되었고, 황제의 총애는 숙빈에게서 조 귀빈에게로 옮겨 갔다.

원래 조 귀빈에게는 세 명의 딸만 있었으나 그렇게 황제의 총애를 다시 받게 되더니, 이 년 전 금쪽같은 아들을 낳게 되었다. 황제의 여덟 번째 아들이자 조 귀빈의 첫째 아들인 순(順)이었다.

온화하고 순종적이며 부끄럼을 잘 타던 조 귀빈이 달라진 건 역시 순이 태어난 이후의 일이었다.

황제의 아들은 그 누구보다도 귀한 존재이지만 한편으로는 모든 이들의 질투와 시기를 한 몸에 받는 인물이었다. 고래(古來)를 통해 많은 수의 황자들이 암살이나 사고, 원인 모를 병에 의해 목숨을 잃은 건 바로 그 질시와 암투, 권력 다툼에 의한 결과였다.

사실 순이 태어나자마자 큰 병에 걸려 죽을 뻔한 건 저 암투나 권력 다툼과는 전혀 관계가 없는, 진짜 병에 걸린 일일 수도 있었다. 아니, 어쩌면 그럴 확률이 훨씬 더 높았지만 조 귀빈은 그렇게 생각하지 않았다.

그녀는 순을 눈엣가시로 여기는 자들이 있다고 확신했고 그들이 제 아들을 죽이기 위해 독을 풀었다고 여겼다.

순을 지키기 위해서는 무슨 짓이든 다 해야 한다고 결심한 그녀는 곧바로 황제에게 애원, 백화(百花)를 자신과

순의 호위로 두었다.

동궁은 비빈과 황자, 공주들이 묵는 곳, 사내라면 환관을 제외한 그 누구도 함부로 접근할 수 없었다. 그런 까닭에 특별히 여인들로 구성된 감찰 경호 조직을 만들었으니, 백화가 바로 그중 하나이자, 그중에서 가장 뛰어난 무공을 지닌 조직이었다.

백화의 수장은 권화(拳花)였으며 원래 그녀들은 황후를 호위하고 그녀의 지시에 따라 움직였으니, 그런 백화가 조 귀빈의 명령을 받게 되었다는 건 곧 규중의 권력이 황후에게서 조 귀빈에게로 넘어갔음을 의미하는 신호탄이었다.

이후 조 귀빈은 조정 대신의 알현 신청을 적극적으로 수용하고 그들과 대화를 나눴다.

또 한편으로는 환관들, 특히 동창과 관련이 있는 환관들을 수시로 만나면서 자신의 권세를 더욱 강화하려고 노력했다.

사실 거기까지는 주완룽도 익히 알고 있는 사실이었다. 그 역시 과거 몇 차례 조 귀빈을 만난 적이 있었고 그녀의 사람됨이 전혀 나쁘지 않다는 것도, 단지 늦게 얻은 아들 순을 지키기 위해 노력할 따름이라는 것도 잘 알고 있었다.

하지만 문제는 작년 말, 황제의 지병(持病)이 급속도로 악화하여 병상에서 일어나지 못하게 된 후에 벌어졌다. 삼황자의 난 이후, 수면 아래로 가라앉았던 차기 황제에 대한 암투가 재점화된 것이다.

사실 조정 대신들 중에서 주완룡이 황제감이 아니라고 생각하는 이는 단 한 명도 없었다.

하지만 동창 사태에서도 알 수 있듯이 주완룡이 워낙 강경하고 패도적(覇道的)으로 사안을 처리하자, 그에 대한 불만과 두려움을 느끼는 이들이 몇몇 있었다.

또한 자신의 이익과 야망을 위해서 다른 황자를 황제로 옹립하고자 하는 자들도 없지는 않았다.

그런 자들이 서로 손을 잡고 모종의 음모를 꾸미기 시작했고, 거기에 동창의 부활을 꿈꾸는 환관들과 동창 무사들까지 합류가 되었다.

그들은 서창과 내각, 금의위의 이목을 피해 은밀하게 행동했으니 단 한 번도 궁내에서 모임을 하지 않는 게 그 첫 번째 은밀함이었으며, 회합(會合)할 때마다 복면을 쓰고 암화(暗話)와 은어(隱語), 별명 등을 사용하여 자신들의 신분을 감추는 게 그 두 번째였다.

그렇게 용의주도하게 흔적을 지우고 자취를 감춘 까닭에 서창과 내각, 금의위의 합동 조사에도 불구하고 여전히 그들의 존재를 찾지 못하는 중이었다.

그야말로 철두철미, 완벽하게 안개에 가려진 집단.

그래서 주완룡 측에서는 그들을 가리켜 은무집(隱霧集)이라 칭하며, 그들을 찾는 데 전력을 기울이고 있던 참이었다.

　"그 은무집이 조 귀비와 접촉한 것 같습니다."

　수보대학사 섭동천이 조심스레 말했다.

　"조 귀비께서 접견하시는 자들의 면면은 매일 기록으로 남기고 있습니다만, 이틀 전 두 명의 낯선 환관들이 조 귀비의 처소에 들어갔다가 나온 것으로 확인되었습니다."

　"낯선 환관? 아니, 낯선 환관이라는 게 말이 되오?"

　주완룡이 가볍게 눈살을 찌푸리며 묻자, 섭동천은 고개를 숙이며 대답했다.

　"죄송합니다. 당시 그곳을 감시하던 자들이 잠시 이목을 돌린 틈을 타서 출입했다고 합니다."

　섭동천의 설명에 따르자면 당시 조 귀비의 거처, 조운궁(曺芸宮)의 출입자를 감시, 기록하던 환관들이 그곳에서 경계를 서던 권화들과 약간의 실랑이가 있었다고 했다.

　그 실랑이를 틈타 두 명의 환관이 얼굴을 가린 채 조운궁으로 들어갔고, 나중에는 권화들의 호위를 받으며 나왔다고.

　"뒤쫓아서 어느 방면의 환관들인지 확인하려 했으나

권화들이 방해를 하는 바람에 결국 그들의 신분을 알아내지 못했습니다."

섭동천은 함께 부복해 있는 유복근과 홍무영을 돌아보며 말을 이어 나갔다.

"소신(小臣)들끼리 이야기를 나눈 결과 그 두 명의 낯선 환관이 은무집의 밀정들일 가능성이 매우 높다고 결론을 내렸습니다."

"확실한 건 하나도 없지 않소?"

주완룡이 답답하다는 듯이 따졌다.

"애당초 은무집이라는 존재 자체가 제대로 확인된 바가 없는 상황에서 낯선 두 명의 환관을 은무집의 밀정이라고 생각하는 것도 우습고, 겨우 그 정도 가지고 조 귀비와 은무집이 손을 잡았다고 하는 것 역시 이상하지 않겠소?"

주완룡은 혀를 차며 말을 이었다.

"서창과 내각, 금의위가 그동안 힘을 합쳐서 알아낸 정보라는 게 겨우 이 정도란 말이오? 양옹의 동창이라면 벌써 저들의 집에 젓가락이 몇 개 있는 것까지 알아냈을 것이오."

"죄송합니다."

섭동천은 여전히 조심스럽게, 하지만 담담하고 차분한 어조로 말했다.

"하나 솔직히 말씀드리자면 첩보나 정보, 추적 등에 관해서는 저희의 능력이 예전의 동창에 비해 한참 뒤떨어지는 실정입니다."

섭동천의 말에 유복근이 고개를 끄덕이며 동의했다.

"그건 수보대학사의 말이 맞습니다. 어쨌거나 동창은 지난 수십 년 동안 감찰 활동을 벌이면서 쌓은 경험과 연륜이 있으니까요. 반면 서창은 이제 다시 활동을 시작한 지 이 년도 채 되지 않았습니다."

일순 주완룡이 서늘한 표정을 지으며 물었다.

"그 동창의 경험과 연륜들을 우리 것으로 만들지 못해서 아쉽다는 것이오?"

유복근은 움찔거렸지만 피하거나 물러서지는 않았다. 그는 솔직하게 제 생각을 밝혔다.

"동창에는 유능한 자들이 많습니다. 오랫동안 한 분야에 있으면서 명인의 경지에 오른 자들도 적지 않습니다. 그런 자들을, 단지 삼황자의 난과 관련이 있을지 모른다는 이유 하나만으로 내팽개쳐 두는 건 아무래도 아깝다는 생각이 들 수밖에 없습니다."

주완룡은 말없이 유복근을 바라보다가 섭동천에게로 시선을 돌리며 물었다.

"섭 수보도 그리 생각하시오?"

섭동천은 잠시 생각하다가 대답했다.

"우리가 사용하지 않는다고 하더라도 최소한 적이 사용하지 못하게끔 하는 것만으로도 충분한 효과가 있다고 생각합니다."

"홍 도독의 생각도 그러시오?"

이번에는 주완룡의 질문이 금의위 도독 홍무영에게로 향했다. 홍무영은 근엄한 목소리로 말했다.

"소신은 오로지 황태자의 뜻을 따를 뿐입니다."

주완룡은 살짝 눈살을 찌푸리며 채근했다.

"그래도 말씀해 보시오."

홍무영은 단호한 표정을 지은 채 대답했다.

"사실 노신의 의견은 별다른 소용이 없으므로 굳이 말씀드리지 않는 것입니다."

"음? 왜 그리 생각하시오?"

"사람은 저마다 할 일이 따로 있고, 또 잘할 수 있는 일을 할 때 능률이 높아집니다. 예를 들자면 상황을 판단하고 형세, 정국을 넓게 보며 차근차근 계획을 짜 나가는 건 섭 수보의 몫입니다. 또한 정보나 수색, 설득과 협박, 계략과 함정 등에 관해서는 유 독주를 따라올 사람이 없을 겁니다."

홍무영이 든 예(例)에 섭동천은 살짝 미소를 지었고, 유복근은 가볍게 헛기침을 했다.

주완룡이 어이가 없다는 표정을 지으며 물었다.

"그럼 홍 도독은?"

"소신은 당연히 무력(武力)입니다."

홍무영은 자신만만한 목소리로 대답했다.

"섭 수보와 유 독주가 황태자의 눈과 머리가 된다면 소신은 황태자의 손과 발이 되어 적들을 해치우고 물리치겠습니다. 그게 바로 소신이 가장 잘하는 일이자, 또 반드시 해야 하는 일일 것입니다. 그러니 그렇게 단순하고 명료하게 황태자의 손과 발이 되어 움직여야 할 소신이, 굳이 의견을 내세울 필요는 없지 않을까 사료되옵니다."

복잡하고 어려운 건 모르겠다.

나는 단지 가로막는 자를 쓰러뜨리고 등 뒤를 노리는 자를 막으면 된다.

어찌 보면 상당히 낯부끄러운 이야기를 저리도 당당하게 이야기하는 홍무영을 보면서 주완룡은 저도 모르게 피식 실소를 흘리고 말았다.

하지만 그는 곧 이내 정색하면서 길게 한숨을 내쉬었다.

'다들 훌륭한 신하들이지만 그래도 이래저래 한 가지씩은 부족하구나.'

문득 주완룡의 머릿속에 한 인물의 모습이 떠올랐다.

멧돼지처럼 단단하게 생긴, 눈은 좁쌀만큼 작고 코는 낮았으며 툭하면 엉덩이를 긁적거리던 뚱뚱한 체구의 사내.

하지만 두뇌 회전은 누구보다 빠르며 심지어 무공까지 상당한 경지에 오른 사내.

바로 무림포두 강만리였다.

'그가 지금 내 곁에 있었다면 이렇게까지 답답하지는 않았을 게다.'

강만리를 떠올린 순간 주완룡은 다시 한숨을 내쉬었다.

'그때 무슨 일이 있더라도 그자를 붙잡아 내 곁에 두어야 했었는데…….'

돌이켜 생각해도 아쉽기만 했다.

측근으로 거둬 주겠다는 황태자의 권유를 무뚝뚝한 얼굴로 거부했던 자. 그자는 여전히 저 머나먼 사천 성도부에서 엉덩이를 긁적이며 한가롭게 지내고 있을 것이다.

강만리가 하품을 하며 엉덩이를 긁는 모습을 떠올린 주완룡은 문득 화가 났다.

주완룡 자신은 이렇게 정신없이 바쁘고 골머리가 지끈거릴 정도로 골치 아픈 일들이 산적해 있는데, 저 변방 땅에서 한가로이 세월을 보내고 있을 강만리의 모습이 심지어는 불쾌하게까지 생각되었다.

그는 눈살을 찌푸리며 투덜거렸다.

"반드시 내, 그대를 붙잡아다가 정신없이 바쁘게 만들어 줄 것이다. 그 멧돼지 같은 살집이 홀쭉하게 빠질 정도로 말이지."

주완룡의 그 영문 모를 소리에 세 명의 노신(老臣)들은 어리둥절한 표정을 지으며 서로를 돌아보았다.

2. 강만리

주완룡의 상상처럼 지금 강만리는 하품을 하면서 엉덩이를 긁적거리고 있었다.

하지만 강만리는 절대로 한가롭지도 않았으며 느긋하게 세월을 보내고 있지도 않았다. 아니, 지금 그는 그 어느 때보다도 정신없이 바빴다.

단지 지난 사흘 동안 제대로 잠을 자지도 못했고 씻지도 못한 까닭에 연신 하품이 나오고 온몸이 간지러울 따름이었던 것뿐이었다.

화평장은 한산했다.

예예를 비롯한 화평장의 여인네들 대부분은 석정의 중독 증상을 해결하기 위해 사천당문으로 떠났다.

설벽린과 유노대는 귀영신의 초유동을 비롯하여 옛 붕방 노기인들과 접촉하기 위해 기약 없는 여행을 하는 중이었다. 화군악도 그들과 함께 떠났다가 철목가의 대군과 마주치자마자 그 사실을 알리기 위해 화평장으로 돌아왔다.

그렇게 절반 이상의 식구들이 장을 비운 까닭에 화평장은 을씨년스럽기까지 했다.

만약 강만리의 아들 정이나 화군악의 딸 소군의 울음소리가 없었더라면, 담호와 담창의 시끌벅적 떠드는 소리만 아니었더라면 그야말로 사람 살지 않는 폐가라고 생각될 정도로 한적하고 조용했다.

물론 그건 어디까지나 겉으로 보이는 화평장의 모습일 뿐, 저 내당 깊은 곳에서는 모든 사람이 정신없이 바쁘게 움직이고 있었다.

졸지에 연풍회주가 되어 온갖 헛소문과 거짓 정보를 철목가 사람들에게 전했던 아란은 성도부 곳곳에 묻어 있는 연풍회의 모든 흔적을 지우고 화평장으로 돌아왔다.

그녀는 아직도 연풍회주가 되어 철목가의 삼대 단주들과 회동했던 당시의 기억과 흥분을 잊지 못했다.

애당초 그녀의 꿈은 흑개방에 버금가는 정보 조직을 만들어 운영하는 것이었다. 비록 잠깐이나마 그렇게 한 정보 조직의 수장이 된 느낌은 실로 꿈을 꾸는 것처럼 달콤했다.

하지만 마냥 달콤하고 행복한 것만은 아니었다. 그에 따른 막중한 책임감과 부담까지 동시에 느꼈다.

"아무나 한 조직의 수장이 되는 게 아니야. 비록 자리가 사람을 만든다고는 하지만 준비되지 않은 자가 그 자리에 오르면 그 자리가 주는 무게감과 압박감에 짓눌려 압사당할 테니까."

그러니 철저하게 준비해야 했다. 한 조직의 수장이 될 그릇을 만들어 나가야 했다.

또 그런 의미에서 보자면 이곳 화평장은 그녀에게 매우 좋은 본보기가 되어 주었다.

무공이 가장 강하지도 않은 강만리가 나머지 의형제들을 적재적소에 활용하는 한편, 화평장을 관리하고 운영하며 무적가나 철목가를 상대하는 모습은 말 그대로 한 조직의 수장을 보는 것만 같았으니까.

'그의 곁에서 모든 걸 지켜봐야지. 받아들일 건 받아들이고 고칠 건 고치고 버릴 건 버리면서 내 그릇을 완성해 나갈 거야.'

그렇게 생각한 아란은 화평장으로 돌아온 이후 잠을 잘 때만 제외하고는 언제나 강만리의 곁을 떠나지 않았다.

'아니, 도대체 왜……'

강만리는 그런 아란이 부담스럽기 그지없었다. 회의 때나 밥 먹을 때는 물론, 심지어 소피를 보러 갈 때도 따라오는 그녀의 저의(底意)를 알 수 없었던 것이다.

물론 그는 아란에게 몇 번이나 은근슬쩍 싫은 기색을 내비쳤지만 소용이 없었다.

여전히 그녀는 싱글거리며 강만리의 바로 옆자리에 앉아서 그의 얼굴을 쳐다보고 있었다. 모르는 사람들이 보면 그녀가 강만리를 사랑하고 있다고 오해할 정도의 표정이었다.

강만리는 길게 한숨을 쉬며 물었다.

"내 얼굴에 뭐라도 묻었나?"

"아뇨, 오라버니."

아란은 싱글거리며 말했다.

"그런데 왜 자꾸 그렇게 쳐다봐, 부담스럽게."

"부담 느끼지 않으셔도 돼요."

'아니, 부담이 느껴진다니까!'

"다른 사람들이 오해하겠네."

"무슨 오해요? 아! 에휴, 설마요. 제가 왜 유부남을 좋아하겠어요? 그렇다고 오라버니가 정신을 홀딱 빼앗아갈 정도의 미남도 아닌데요. 오해할 사람 아무도 없어요."

"허험, 하지만 혹시나 오해를 한다면……."

"그때는 제가 확실하게 이야기할게요. 저는 인물 보고 체격도 본다고요. 아무리 눈을 낮춰도 강 오라버니 같은 사람은 전혀 신랑감으로 생각하지 않는다고요."

"아……."

늘 이런 식이었다.

그녀와 말을 섞으면 섞을수록 왠지 모를 패배감과 심지어는 자괴감까지 느껴야 했다.

세상 두려울 것 하나도 없는 강만리였다. 무적가와 싸웠고 지금은 철목가와 싸우고자 하는 그였다.

그런 강만리였지만 언제나 여자는 무섭고 두려웠다. 저 십삼매부터 시작해서 예예나 소홍은 물론, 이 옆자리의 아란까지 그 어떤 여자들도 당해 낼 수가 없었다.

여인들과 말싸움을 하면서 신경전을 벌이느니, 차라리 주먹 불끈 쥐고 생사를 건 혈투를 벌이는 게 훨씬 더 마음 편하고 속 시원한 일이었다.

강만리는 결국 입을 다물었다.

그는 아란이 계속해서 자신의 옆자리에 앉든, 자신의 얼굴을 쳐다보든 신경 쓰지 않았다. 상관하지 않았다. 그저 측간까지 따라오지 않는 걸, 함께 잠자리에 들지 않는 걸 다행이라고 여겼다.

사실 강만리는 무엇보다 계속해서 그녀를 신경 쓸 정도로 한가한 상황이 아니었다.

며칠 동안 성도부 곳곳을 돌아다니면서 이런저런 사람들을 만나 설득하고 협의했던 계획이 제대로 진행되고 있는지 계속해서 확인하고 지켜봐야 했다.

상대가 상대이니만큼 한 치의 오차도, 반 푼의 차질도 있어서는 안 되는 일이었다. 강만리가 씻지 못할 정도로 바쁜 것도, 잠을 이루지 못하는 것도, 심지어 머리카락이 한 움큼씩 빠지는 것도 너무나 당연했다.

"그래도 좀 씻어야 하는 거 아닙니까?"

화군악이 코를 쥐는 흉내를 내며 말했다. 강만리의 꾀죄죄한 행색을 보면 확실히 냄새가 날 것 같았다.

강만리는 인상을 찡그리며 말했다.

"매일 씻거든."

"목욕은 언제 하셨는데요?"

"그건…… 허험, 그래. 갔다 온 일은 잘된 게야?"

강만리가 헛기침을 하며 화제를 돌리자, 화군악은 쓴웃음을 흘리며 고개를 끄덕였다.

"네. 잘된 것 같아요. 다행히 형님을 기억하고 계시더라고요, 아직."

"뭔 소리야? 그래도 한때는 사천 최고의 명포두였는데. 그런 나를 벌써 잊을 리가 없지."

"하하. 아닌 게 아니라 그 학 추관(推官)께서는 언제 형님이 다시 관아(官衙)로 되돌아오냐고 물으시더라고요."

학 추관이라는 말에 강만리는 문득 눈을 가늘게 떴다. 저도 모르게 그리운 얼굴이 그의 망막에 맺혔다. 한때 그의 상관이었고, 스승이었던 학여춘(鶴餘春)의 얼굴이었다.

"여전히 안녕하시지?"

"그렇게 궁금하시면 직접 만나면 되잖아요."

강만리의 물음에 화군악이 피식 웃으며 대답했다.

"이역만리(異域萬里) 떨어진 곳에 있는 것도 아니고 말 그대로 엎어지면 코 닿을 데 있는데 말이에요."

"만나 봤자 좋을 게 하나도 없으니까."

강만리는 어깨를 으쓱거리며 재차 물었다.

"건강하신 것 같아?"

"네. 아주 건강하시더라고요."

화군악이 말했다.

"내년에 은퇴한다고 하시더라고요. 이제는 시력이 안 좋아서 소장(訴狀)의 글씨도 잘 안 보이고, 귀가 나빠져서 포두들의 보고도 잘 못 듣는다고 하시던데……. 의외로 저와 대화를 나눌 때는 전혀 그런 걸 느끼지 못했거든요."

"흠, 말이 그런 게지."

강만리는 엉덩이를 긁적이며 말했다.

"여전히 몸은 건강하고, 정신은 멀쩡하지만 역시 위아래 눈치가 보이는 게야."

"위아래의 눈치요?"

"그래. 위에서 보자면 그 노인네만큼 눈엣가시가 없을 테니까. 학 추관의 연륜이나 그동안 세운 공로만 보자면 충분히 추관(推官)에서 통판(通判)으로 승진하고도 남아. 아니, 되려면 벌써 몇 년 전에 되었겠지."

하지만 애당초 역사상 현장의 포두들이 문관(文官)인 추관이 된 것 자체가 학 추관이 처음이자 마지막이었다.

기본적으로 포두들은 소위 대포두라 불리는 순검(巡檢)에 오르는 게 평생소원이었다. 통판은커녕 추관의 직위도 감히 꿈도 꾸지 못했다.

원래 부(府)의 최고 책임자는 정 사품 지부(知府)로, 그가 행정과 아문(衙門)을 모두 관리, 책임, 집행한다. 지부 밑으로는 정오품의 동지(同知). 정육품의 통판, 정칠품의 추관이 있었다.

추관은 아문의 실질적인 수장으로 그 휘하에 몇 명의 순검을 거느리고, 순검은 다시 여러 명의 포두를, 그리고 포두는 포쾌와 포졸, 그리고 정용이라 불리는 일꾼들과 함께 치안과 형벌을 담당하는 게 일반적인 포도아문(捕盜衙門)의 직위 체계였다.

몇 년 전 성도부에서는 지부대인이 살해당하는 큰 사건이 있었다. 이후 성도부 동지가 새로운 지부대인이 되었고, 당시 젊은 추관은 사건을 잘 해결한 공로로 두 품직이나 오른 동지에 임명되었다.

그렇게 비게 된 추관 자리는 강만리와 함께 당시 사건을 실질적으로 해결했다고 할 수 있는 학여춘이 차지하게 되었으니, 일개 포졸에서 시작하여 결국 정식 품계가 있는 문관의 직위까지 오르게 된 전대미문(前代未聞)의 영광을 얻게 되었다.

하지만 그로 인해 학여춘은 다른 문관들의 시샘과 질투, 견제와 시기를 받게 되었다. 특히 통판은 언제 그가 자신의 자리까지 치고 올라올지 몰라 전전긍긍했으며, 그런 까닭에 매번 학여춘의 일에 어깃장을 놓거나 훼방했다.

그렇게 상부의 견제만 있으면 그나마 다행이었으리라.

학여춘은 윗사람들의 견제는 물론 아랫사람들의 시기와 질투까지 받아야만 했다.

순검들이 노리기에는 불가능하기만 했던 추관까지의 길이 열린 것이다. 학여춘이 되었으니 자신들이 되지 말라는 법이 없었다.

순검들이 호시탐탐 학여춘의 자리를 노리는 게 당연했다. 그들은 학여춘이 실수나 죄를 범해 낙마하기를 기다렸고, 심지어는 함정까지 파서 그가 빠지기를 유도했다.

그렇게 위에서는 더 이상 기어오를 생각을 하지 말라고 엄포를 놓고, 또 아래에서는 언제까지 후배들 앞길을 막고 있느냐고 재촉하는 상황이었으니 학여춘이 은퇴를 생각하지 않을 수가 없었다.

강만리의 설명을 들은 화군악이 알겠다는 듯이 고개를 끄덕이며 중얼거렸다.

"그랬군요. 그래서……."

화군악은 그 뒷말을 얼른 입속에 가뒀다. 행여 강만리가 듣고 가슴 아파하지 않을까 저어했던 것이다.

'그래서 학 추관이 그렇게 슬픈 표정을 짓고 있었구나.'

화군악은 그제야 그 표정의 의미를 이해할 수 있었다.

3. 학여춘

"그래, 강 포두는 안녕하시고?"

학여춘이 화군악의 맞은편 자리에 앉으며 물었다.

검버섯 듬성듬성 난, 주름이 메마른 땅거죽처럼 굵게 팬 그의 얼굴에 한없이 인자하고 부드러운 미소가 빗물처럼 스며들고 있었다.

화군악은 학여춘을 가만히 바라보았다.

일개 포졸로 시작하여 온갖 풍상(風霜)을 헤치고 추관의 자리에 오른 자답게, 그에게서는 노회한 노장군(老將軍)의 품위가 흘러나왔다.

또 그에게는 색 바랜 단청(丹靑)의 사찰이 갖는 여유와 고즈넉한 분위기가 있었다. 봄비와 같은 포근함과 넉넉함이 느껴졌다.

하지만 의외로 그의 미소에서는 붉게 내려앉은 노을처럼 우울하면서도 슬픈 표정의 흔적을 찾을 수가 있었다.

화군악은 정중하게 대답했다.

"언제나처럼 건강합니다. 너무 건강해서 탈이죠. 요 몇 달 사이에 두 배는 더 건강해졌을 겁니다."

"허허, 살이 쪘다는 게로군."

"네. 이제는 그 좁쌀만 한 눈이 살 속에 파묻혀 아예 보이지도 않을 것 같거든요. 예전의 형님이 멧돼지 같은 외양이었다면 지금은 말 그대로 그냥 돼지에 가까워졌습니다."

"이런, 이런. 살은 적당히 찌는 게 좋은데. 게다가 무림인이라면 무공 수련 등을 통해서 몸 관리를 할 텐데 말이지."

"육체 훈련보다는 정신적인 훈련에 치중하더라고요."

"정신적이라면 그 내공이라는 거?"

"네. 아무래도 외가기공보다는 내가기공이 더 맞는다고 결론 내린 것 같습니다."

"흠, 뭐…… 그건 강 포두가 어련히 잘 알아서 하겠지. 자, 마시게. 상급의 용정차라네."

학여춘은 웃으며 차를 권했다. 그는 화군악이 차를 마시는 모습을 가만히 지켜보면서 말을 이었다.

"강호무림이라는 곳이 참 희한한 동네지? 우리 일반 백성들이 살아가는 땅이면서, 또 일반 백성들과 어울려 살아가면서 나라의 법과 규율에서 일정 부분 벗어나 있으니까 말이지. 그래, 치외법권이라는 말이 딱 어울리겠군 그래."

화군악은 찻잔을 내려놓았다. 학여춘의 말대로 확실히 상급의 용정차였다.

"작년 말이었던가? 한 무리의 무림인들이 성도부에 나타나더니 온갖 행패를 부리면서 사람들을 납치하고 살해했던 적이 있었지?"

화군악은 저도 모르게 움찔거렸다. 하마터면 찻잔을 엎을 뻔했다.

'무적가가 제랄충렬의 실종 사건을 수사하기 위해 한바탕 성도부를 휩쓸었던 이야기를 하는 거로구나.'

학여춘은 여전히 미소를 머금은 채 말을 이어 나갔다.

"그때도 우리 관부는 앞으로 나설 수가 없었지. 사람이 죽어 나가는데도 상대가 무림인이라는 것 때문에 아예 못 본 척, 못 들은 척 입을 다물어야 했네. 상부의 지시가 그랬고 또 내 밑의 아이들도 나서기 싫어했고."

당연한 일이었다. 무림인들의 쟁투(爭鬪)에 휘말렸다가는 본전도 찾지 못하는 게 당연했으니까. 안 그래도 이삼 년 전에는 그 무림인들이 직접 성도부 관아까지 찾아와 포두들을 살해한 적도 있었다.

"뭐, 나라고 별수 있겠나? 그저 상부의 지시대로 일반 관원이나 포두 포쾌들이 무림인들의 싸움에 휩쓸리지 않도록 주의를 줄 수밖에 없었네. 우리 성도부 백성들이 부상을 입고 죽어 나가는데도 말일세."

화군악은 가슴이 따끔거렸다. 등골에 식은땀이 흘렀다.

학여춘은 그저 웃는 낯으로, 온화한 표정으로 부드럽고 인자하게 말하고 있는데, 그 말 한 마디 한 마디가 비수처럼 화군악의 가슴을 찌르고 있었다.

그래서였다.

화군악은 그 웃는 낯이, 학여춘의 온화한 표정이, 그리고 그 인자하고 부드러운 음성이 더욱 무섭고 두렵게 느껴졌다.

"한없이 이어질 것만 같았던 그 무림인들의 횡포가 어느 한순간 거짓말처럼 끊어졌네. 그리고 그 무림인들은 하늘로 솟았는지 땅으로 꺼졌는지 두 번 다시 찾아볼 수가 없었고."

화군악은 그렇게 말하면서 자신을 쳐다보는 학여춘의 눈빛이 왠지 칼날처럼 날카롭게 느껴졌다.

'어쩌면 그때 그 제갈충인들을 해치운 이들이 바로 우리라는 걸 눈치채고 있는지도……'

화군악은 마른침을 꿀꺽 삼켰다. 목이 말랐다. 그는 엉겁결에 찻잔을 들었다. 하지만 찻잔은 이미 텅 비어 있었다.

학여춘이 웃으며 찻주전자를 들어 따라주었다.

향긋한 용정차가 따라지는 가운데 뜨거운 김이 모락모락 피어올랐다.

학여춘은 찻주전자를 내려놓으며 말을 이어 나갔다.

"그런데 열흘 전 즈음 또 일단의 무리들이 우리 성도부를 찾아와서 말 그대로 박살을 냈다네. 아, 물론 자네도 잘 알고 있는 일이겠지?"

화군악은 차를 마시려다가 황급히 대답했다.

"아, 네. 이야기를 들어 잘 알고 있습니다."

"그래. 이번에 찾아온 무리들은 작년의 그들보다 더 강하고 숫자도 훨씬 많았지. 그들은 아예 성도부 자체를 몰살시킬 작정을 한 듯, 사람을 죽이는 것도 부족해서 건물을 부수고 방화까지 했다네."

화군악은 침착하려 애쓰며 차를 마셨다.

'왜 학여춘이 지금 이런 이야기를 하는 걸까? 내게 원하는 게 있는 걸까? 아니, 강 형님에게 하고자 하는 이야기가 있는 걸까?'

화군악은 내심 머리를 굴리며 그 이유를 찾으려 했다. 그 와중에도 학여춘의 이야기는 계속 이어져 나갔다.

"물론 그 와중에 죽거나 다친 이들은 대부분 흑도방파의 사람들이기는 하지만, 그래도 아무런 상관없는 몇몇 백성들이 크게 다치거나 집을 잃거나 혹은 직업을 잃었다네. 실로 통탄할 일이지. 성도부의 백성들이 다치고 죽고 집을 잃고 직업을 잃는데도 손 하나 까딱할 수가 없으니 말이네."

학여춘은 한숨을 내쉬었다.

"눈이 있어도 못 본 척해야 하고 귀가 있어도 듣지 않은 척해야 하고 입이 있어도 함부로 말할 수가 없으니, 이렇게 지지리도 못난 관원이 또 어디 있단 말인가?"

화군악은 다시 찻잔을 내려놓았다. 그는 한 모금 마신 용정차의 향기를 전혀 느낄 수가 없었다.

"그래서……."

학여춘은 조용히 웃으며 말했다.

"나는 무림인들이 싫네."

"허험!"

화군악은 저도 모르게 헛기침을 내뱉었다. 학여춘은 여전히 온화한 표정으로 말했다.

"물론 작년의 그 무림인들, 그리고 며칠 전의 그 무지막지한 일당을 성도부에서 사라지게 만든 사람들은 조금 다르지. 그래도 그들이 있었기에 이나마 성도부가 온전할 수가 있었으니까."

"다행이네요. 그들이 누구인지는 모르겠지만."

"그래. 나도 그들이 자네나 강 포두가 아니기를 바랄 뿐이네."

"네? 그건 또 왜…….”

"실은 그들 때문에 계속해서 이런 사달이 일어나는 게 아닌가 싶어서 말일세.”

"아…….”

"그들을 찾기 위해서 계속해서 무림인들이 찾아오고 또 성도부를 발칵 뒤집어놓는 게 아닌가 싶어서 말일세. 즉, 모든 일의 원흉(元兇), 아니 원흉은 좀 그렇고……. 모든 일의 원인이자, 시발(始發)이 바로 그들이라고 생각하거든. 그래서 나는 그들도 싫다네.”

"그, 그렇군요. 확실히 그렇게 생각할 수도 있겠네요.”

화군악은 헛기침을 하며 애써 웃었다.

"그런데 말일세.”

학여춘은 문득 비밀스러운 이야기를 하겠다는 듯이 몸을 앞으로 내밀며 소곤거렸다.

"이번에 또 낯선 무림인들이, 전에 나타났던 무리와는 또 다른 자들이 무려 오백 명 가까이 입성했다네. 그리고 그들 또한 성도부 곳곳을 들쑤시면서 누군가를 찾고 있는 중이고. 내 생각에는 아마도…….”

학여춘은 게서 말을 끊고 화군악을 가만히 쳐다보았다.

화군악은 얼굴이 벌겋게 달아오르려는 것을 애써 참아내며 무심한 표정을 지었다. 학여춘은 그런 화군악의 얼굴을 의미심장하게 쳐다보면서 말했다.

"역시 그들을 찾아온 게 아닌가 싶은데. 자네 생각은 어떤가?"

"그, 글쎄요."

화군악은 겨우 그렇게 대답했다.

"흐음."

학여춘은 의미 모를 소리를 길게 흘리다가 문득 다시 부드러운 미소를 머금으며 물었다.

"그건 그렇다 치고. 그래, 무슨 일로 이 늙은이를 찾아오셨을꼬?"

화군악은 학여춘을 가만히 바라보았다.

허를 찔린 기분이었다.

속내가 들킨 느낌이었다.

이런 상황에서는 도저히 거짓말을 할 수가 없었다. 숨기기도 어려워졌다. 만약 학여춘의 허락을 얻고자 한다면 처음부터 끝까지 모든 걸 사실대로 이야기할 필요가 있었다.

어쩌면 애당초 학여춘은 그걸 노리고 지금 이렇게 구구절절하게 이야기한 것인지도 모른다.

'하지만 모든 걸 알게 되면 진짜로 강 형님과 우리를 미워하게 될지도……'

화군악은 입술을 깨물었다.

'아, 난감하네. 형님이 직접 오시지, 내게는 꼭 이런 고약한 일만 시킨다니까.'

그냥 인사차 찾아왔다고 한 후 자리에서 일어나고 싶은 마음뿐이었다.

4장.
불쾌한 성도부(成都府)

불쾌했다.
날씨도 불쾌했고 음식도 불쾌했으며,
심지어는 잠자리를 수발 드는 계집들도 불쾌했다.
모든 것이 불쾌했다.

1. 그들을 떠올리는 것만으로도 불쾌해지네

무림인들이 싫다.

강호인들이 밉다.

학여춘의 그 말들은 진심이었다.

만약 능력만 된다면 직접 금줄과 곤봉을 가지고 관아를 나와 세상 모든 무림인들을 잡아 죽쳤을 것이다. 그에게 있어서 무림인들이란 그저 국법(國法)을 어기고 백성들을 괴롭히는 범죄자들에 지나지 않았으니까.

화군악은 그런 학여춘에게 부탁을 해야 했다. 그리고 그를 설득하여 협조를 얻어 내는 게 이곳을 찾아온 목적이었다.

처음부터 쉽지 않을 거라고는 생각했지만, 조금 전 나눈 대화를 통해서 화군악은 거의 절망적인 상황이라고 생각했다.

'뭐, 어쩔 도리 없지. 늘 그래 왔듯이 말할 수밖에.'

화군악은 속으로 투덜거리다가 결국 마음을 정하고는 조심스레 입을 열었다.

"강 형님께서 부탁이 있다고 하셨습니다."

"부탁이라니? 벌써부터 듣기 싫어지는걸?"

학여춘은 장난꾸러기처럼 웃었다.

"그 친구의 부탁이라면 결코 만만한 일이 아닐 것 같거든. 그렇지 않나?"

"죄송합니다."

화군악은 고개를 숙였다. 학여춘이 웃으며 말했다.

"아닐세. 농담 한번 해 본 거네."

"그게 아니라…… 확실히 결코 만만한 일이 아니거든요, 형님의 부탁이라는 게."

학여춘의 입가에서 슬그머니 미소가 사라졌다. 동시에 그는 힐끗 문 쪽을 바라보며 말했다.

"나가 있어도 된다."

추관 학여춘의 시중을 들기 위해 문 옆에 서 있었던 젊은 부관이 고개를 숙인 후 밖으로 나갔다.

"동수천(董隨仟)이라는 아이네."

학여춘은 문이 닫히는 걸 보면서 중얼거리듯 말했다.

"정의를 지키고 백성을 보호하고 나라에 충성하고자 포쾌가 된 아이지. 아직 어리지만 똘똘하고 눈치도 있고 배우는 것도 빨라서 가르치는 재미가 있는 친구지. 머지 않아 한 명의 훌륭한 관원이 될 걸세."

"그렇군요."

화군악은 학여춘의 뜬금없는 이야기에 무덤덤한 반응을 보였다. 동수천이라는 포쾌가 한 명의 훌륭한 관원이 되든 말든 그와는 아무런 상관이 없었으니까.

게다가 지금 그의 모든 신경은 어떻게 학여춘을 설득하느냐에 집중되어 있었다.

학여춘이 계속해서 말을 이어 나갔다.

"그런데 문제는 저 아이의 우상이 강 포두라는 게지."

"헤에, 강 형님이요?"

화군악이 의외라는 표정을 지었다.

"그렇다네."

학여춘은 그런 반응이 나올 줄 알았다는 듯이 싱긋 웃으며 말을 이어 나갔다.

"강 포두를 마치 전설의 영웅처럼 생각하는 건 물론, 그를 닮기 위해 모든 노력을 아끼지 않거든. 내 부관으로 들어온 것도 그중 하나인 게고. 내가 강 포두의 사부라는 소문을 듣고 찾아왔다더군. 게다가 심지어는 강 포두처럼 뚱뚱해지기 위해서 하루 다섯 끼씩 먹고 있다네."

"호오."

화군악은 굳게 닫힌 방문을 돌아보면서 조금 전 그 부관을 떠올렸다.

눈이 크고 제법 잘생긴, 호리호리한 몸매의 청년이었다. 어디를 봐도 강만리와는 전혀 닮지 않은, 전혀 인연이 없어 보일 외모였다.

그런 청년의 우상이 강만리라니, 확실히 별의별 사람들이 다 있는 것이다.

"언제 한번 화평장에 초대해서 그 우상이라는 사람의 실체를 보여 주고 싶네요."

화군악은 저도 모르게 중얼거렸다. 학여춘은 다시 희미한 미소를 머금고 화제를 돌렸다.

"그래, 강 포두의 부탁이 뭔지 이제 말씀해 보시게."

"아, 네."

화군악은 퍼뜩 정신을 차렸다.

학여춘은 확실히 노련했다. 화군악은 그의 능수능란하고 자연스러운 언변에 휘말려 제대로 정신을 집중하지 못하고 있었다.

이럴 때 실수가 튀어나오기 마련이다. 자신에게는 불리하고, 상대에게는 유리한 실수가.

'쳇, 호랑이 굴이 따로 없구나.'

화군악은 속으로 혀를 찼다.

어떤 의미에서 보자면 같은 동료라고 할 수도 있는 자신에게까지 이런 식으로 변화무쌍한 언변을 보여 주는 학여춘이 불쾌하기도 했다.

하지만 다시 생각해 보면 이해가 가지 않는 것도 아니었다. 일개 포쾌에서 추관의 자리까지 오른 입지전적인 인물이다. 그러니 은근슬쩍 분위기를 자신에게로 끌어오는 화술(話術)이나 상대의 실수를 유발케 만드는 화법(話法)은 굳이 일부러 시도한 게 아니라 아예 본능처럼 몸에 밴 것일 수도 있었다.

'나만 똑바로 정신을 차리면 된다.'

화군악은 생각을 고쳤다. 그리고는 학여춘의 눈을 똑바로 바라보며 천천히 입을 열었다.

"원래 관(官)과 무림(武林)은 상호불침(相互不侵)이라고 하지만, 이번 한 번만큼은 어겨 주시기 바랍니다."

일순 학여춘의 눈빛이 빛났다. 하지만 곧 그는 영문을 모르겠다는 표정을 지으며 물었다.

"그게 무슨 뜻인고?"

화군악은 대답 대신 엉뚱한 질문을 던졌다.

"무림인이 싫고 강호인이 밉다고 하셨잖습니까?"

"그랬네. 그들을 떠올리는 것만으로도 불쾌해지네. 그런데 그게 왜?"

학여춘은 의아한 얼굴로 되물었다. 화군악은 침착한 어조로 말했다.

"그 무림인들을 성도부에서 내쫓고 강호인들을 얼씬도 하지 못하게 만들기 위해서 추관 어르신의 도움이 필요합니다."

"허허. 일개 필부(匹夫)에 불과한 내가 어찌 자네들에게 도움을 줄 수 있겠누?"

학여춘이 너털웃음을 흘리며 고개를 저었다.

"직접 보지는 못했지만 그래도 익히 들어 알고 있네. 자네들의 무공은 이미 신선(神仙)의 경지에 이르러 하늘을 날고 산을 부순다고 하더군. 그런데 겨우 금줄로 사람 묶을 줄 아는 내가 도움은 무슨……."

"틀렸습니다."

화군악은 학여춘의 말을 잘랐다. 학여춘의 눈이 살짝 커졌다.

"틀렸다니, 뭐가 틀렸는데?"

"먼저 우리들의 무공이 나름대로 나쁘지 않은 건 사실입니다. 하지만 그렇다고 해서 하늘을 날거나 산을 부술 수는 없습니다."

"흠……."

"그리고 그런 우리들에게 어르신은 확실하게 도움을 주실 수가 있습니다. 지금 우리에게 필요한 어르신의 능력은 무공이 아니니까 말입니다."

"무공이 아니라면?"

"바로 그 관복(官服)의 위엄입니다."

화군악의 말에 학여춘은 제가 입고 있는 관복을 돌아보며 어리둥절한 표정을 지었다.

"이 관복의 위엄이라니? 관아 알기를 측간보다 우습게 알고, 국법 알기를 국밥보다 아래로 보는 무림인들에게 관복의 위엄이라니?"

"그런 무뢰한들이기 때문에 더더욱 관복의 위엄을 보여 주셔야 합니다. 그리고 그건 다른 관원이 아닌 오로지 추관 어르신만 보여 줄 수 있는 위엄이기도 합니다."

"흠, 나만이?"

"그렇습니다."

화군악은 확고한 표정을 지으며 힘차게 고개를 끄덕였다.

"강호인을 무서워하고 무림인을 두려워하는 관원들은 결코 그 위용과 위엄을 보여 줄 수가 없습니다. 어쨌거나 상대는 천하의 철목가 가주이니까요."

"철목가 가주?"

학여춘의 눈이 더욱 커졌다.

강호 무림에 대해서 거의 문외한이라고 할 수 있는 학여춘도 태극천맹과 오대가문에 대해서는 너무나도 잘 알고 있었다. 당금 강호 무림을 통치하고 있는 절대 권력가가 바로 그들이 아니던가.

학여춘은 저도 모르게 마른 침을 꿀꺽 삼키며 물었다.

"지금 나더러 철목가 가주를 만나라고 하는 겐가?"

이미 분위기를 자신의 것으로 만든 화군악은 담담한 표정으로 고개를 끄덕이며 말했다.

"네, 그렇습니다."

학여춘의 입이 쩌억 벌어졌다.

* * *

"다행이군. 몇 가지 조건을 내걸기는 하셨지만 그래도 내 부탁을 들어주셨으니까."

강만리는 엉덩이를 긁적거린 손으로 콧구멍을 후비며 말했다. 맞은편 자리의 화군악과 장예추는 눈살을 찌푸렸지만, 바로 옆자리의 아란은 여전히 눈을 초롱초롱 빛내며 강만리를 지켜보았다.

가장 멀리 떨어져 앉아서 가만히 이야기만 듣고 있던 담우천이 불쑥 입을 열었다.

"그럼 이것으로 모든 준비가 된 게로군."

"그런 셈이죠."

그의 옆자리에 앉아서 차를 마시던 정유가 고개를 끄덕

이며 찻잔을 내려놓았다.

"처음 강 형님께 그 계획에 대한 걸 들었을 때만 하더라도 과연 그게 될까 의심했는데…… 결국 되기는 되는군요."

"되기는, 아직 시작도 하지 않았는데."

강만리가 무뚝뚝하게 말했다.

"나름대로 만반의 준비는 갖췄는데 그게 과연 내 생각대로 진행이 될지는 두고 봐야겠지. 어쨌든 상대는 철목가, 그리고 무적가의 본진이니까 말이지."

강만리는 그렇게 투박한 어조로 말한 후 담우천을 향해 물었다.

"참, 무적가에서 원군이 출발한 건 확실한 거죠?"

"그렇다네."

담우천이 말했다.

"제갈보운들이 쫓기면서 보낸 전서구 몇 마리를 붙잡아서 확인했으니까. 모르기는 몰라도 닷새 정도 후면 얼추 만인평(萬人坪) 인근까지 당도할 걸세."

만인평은 성도부에서 남쪽으로 약 백여 리 떨어진 곳에 위치한 평야를 가리켰다. 그리고 그곳은 성도부에서 도망친 제갈보운 일행이 담우천과 장예추에게 몰살을 당한 바로 그 평야이기도 했다.

"만인평까지 닷새라면…… 으음, 생각보다 훨씬 빠듯하겠군."

강만리가 머리를 긁적이며 중얼거렸다.

"십삼매와 루호가 제대로 잘해 주기를 바랄 수밖에."

강만리의 중얼거림을 듣지 못한 것처럼 대청에 모여 있던 사람들은 누구 하나 입을 열지 않았다.

하지만 그들의 얼굴에는 긴장의 빛이 역력하게 흐르고 있었다. 그렇게 태풍 전의 고요함처럼 습기 가득한 정적이 대청을 휘감을 때였다.

화군악이 불쑥 입을 열었다.

"그나저나 우리 마누라는 잘 지내는지 모르겠네."

엉뚱한 말에 사람들의 시선이 일제히 그에게로 쏠렸다. 화군악은 "아!" 하고 머쓱한 표정을 지으며 말했다.

"아니, 그러니까 지금 즈음이면 당가타에 당도하지 않았을까 해서요. 죄송합니다. 엉뚱한 생각을 했네요."

그는 순순히 사과했다.

확실히 지금 이 긴박하고 진중한 상황과는 어울리지 않는 엉뚱한 중얼거림이기는 했다.

하지만 화군악을 바라보는 사내들의 얼굴에는 대부분 그와 비슷한 표정이 담겨 있었다.

궁금함과 걱정이 담긴 얼굴.

그랬다. 그들의 아내들 또한 화군악의 정소흔과 함께 사천으로 여행을 떠났으니까.

2. 처음 모시는 손님들

여행은 순조로웠다.

야래향과 빙혼마고, 당혜혜와 예예, 정소흔과 나찰염 요 등 여섯 명의 여인과 혼수상태의 석정을 태운 사두마 차 한 대와 세 필의 말은 빠르지도 느리지도 않게 관도를 따라 당문(唐門)으로 향했다.

강만리가 이것만큼은 양보할 수 없다며 고집을 부려 결 국 사두마차의 마부석에 앉게 된 양위는 여행 내내 조심 스럽기 그지없었다. 돌부리에 걸려 마차가 덜컹거리거나 행여 눈 젖은 땅에 바퀴가 빠지는 일이 없도록 그는 극도 로 주의하며 마차를 몰았다.

지금은 화평장의 순찰당주이자 호원당주까지 겸하고 있지만, 한때 저 북해빙궁의 순찰당주였던 양위는 어쩌 면 지금 이렇게 마부가 되어 마차를 몰고 있는 자신이 한 심해 보일 수도 있었다.

또한 드넓은 북해 땅을 누비며 천지사방을 호령하던 그 위세가 그리울 법도 했다.

하지만 양위는 결코 그렇게 생각하지 않았다. 그는 지 금 자신이 하는 일이, 맡고 있는 임무가 북해빙궁 시절의 그 어떤 일과 임무보다도 더 막중하고 중요하다고 생각 했다.

그가 모는 마차에는 북해빙궁의 공주인 예예가 타고 있었다. 저 전설의 공적십이마, 그중 두 명인 야래향과 빙혼마고도 타고 있었다. 거기에 무당파 장문인의 딸인 정소흔, 사천당문의 여인인 당혜혜, 그리고 나찰염요가 마차를 호위하듯 나란히 말을 타고 달리는 중이었다.

이 어찌 가볍게 여길 임무일 수 있겠는가.

그래서였을 것이다. 지금 이 화려하고 아름다우며 기기묘묘한 주변 절경이 양위의 시야에 하나도 들어오지 않는 것은.

길 왼쪽으로 줄지어 선 봉우리들은 높고 골이 깊으며 산세가 험해서 사람의 눈을 홀릴 지경이었다.

반면 길 왼쪽, 산세를 따라 흐르는 강물은 맑고 깊으며 유유하게 흐르는 것이 보고만 있어도 마음이 깨끗하게 정화되는 것 같았다.

천리오강(千里烏江), 오강의 길이는 천 리나 되고 백리화랑(百里畫廊), 화랑(畫廊)처럼 아름다운 풍경이 백 리에 걸쳐 이어지는 곳.

그 오강의 절경을 따라 굽이진 길을 따라 얼마나 마차를 몰았을까. 문득 저 멀리 오강의 한 지류에 접해 있는 마을이 보였다.

"이제 다 왔네요. 저기예요."

당혜혜가 말머리를 몰아 양위에게로 다가와 말했다. 양

위는 고개를 들어 그녀가 가리키는 방향을 쳐다보았다. 저 멀리 흐르는 강줄기를 끼고 오밀조밀한 마을 하나가 희미하게 보였다.

양위는 눈을 가늘게 떴다. 대략 오륙백 호 남짓 되어 보이는 촌락이었다.

"저곳이 사천당문입니까?"

그는 감개무량한 목소리로 물었다.

혼인한 예예를 따라 사천 성도부로 오기 전까지 양위는 북해 일대를 벗어난 적이 없었다. 그는 태어나기 전부터 북해빙궁의 사람이었고, 태어난 이후로는 계속해서 북해 빙궁 사람으로 자랐다.

사실 양위를 비롯한 북해 사람들에게 있어서 오대가문이니 태극천맹이니 신주오대세가니 하는 것들은 그저 옛날이야기, 혹은 가공의 꾸며진 이야기에 불과했다.

애당초 예예를 따라 북해빙궁을 떠나는 여정을 시작하지 않았더라면 양위는 여전히 사천당문을 옛이야기나 소설 속에서만 나오는 곳이라고 여겼을지도 몰랐다.

그런 사천당문을 실물로 보게 된 것이다.

우강 지류의 물안개 저편으로 희미하게 보이는 촌락. 비록 생각보다 자그마하고 위엄이 느껴지지 않는 평범한 시골 촌락처럼 보이지만 그래도 양위의 가슴이 크게 진탕되는 건 너무나도 당연한 일일 것이다.

"저 마을을 당가타라고 해요."

당혜혜가 말했다.

"당가타는 우리 당문 사람들을 지켜 주고 보호해 주며 살아가는 분들의 마을이에요. 그 당가타 안쪽에 따로 당문 사람들이 모여 사는 당가보(唐家堡)가 있죠. 그리고 그 당가타와 당가보를 합쳐서 사천당문이라고 하는 거예요."

"아, 그렇습니까?"

양위는 눈빛을 반짝이며 당가타를 바라보았다. 당문 사람들을 지켜 주고 보호해 주며 사는 사람들이라니, 과연 얼마나 대단한 무위를 지니고 있을까 궁금했다.

"그러니까 예컨대 가신(家臣)들의 마을이라는 거네요."

"그건 또 아니에요."

양위의 말에 당혜혜는 쓴웃음을 흘리며 고개를 흔들었다.

"그저 평범한 촌락 사람들이에요. 농사짓고 밭일하고 물고기 잡는 그런 일상적인 일들을 하며 지내는 분들이죠."

양위의 눈가에 의혹이 빛이 매달렸다.

"네? 그렇다면 그런 촌부들이 어떻게 당문 사람들을 지켜 주고 보호해 준다는 말입니까?"

"아…… 지켜 준다는 게 꼭 물리적인 힘만으로 할 수 있는 일은 아니라고 생각하거든요, 저는."

"그, 그렇습니까?"

양위는 일순 당혜혜의 말을 이해하지 못했다.

당혜혜는 잠시 생각하다가 말을 이어 나갔다.

"예를 들자면…… 그러니까 우리 화평장의 시녀들과 하인들 말이에요. 과연 그들이 우리 화평장 사람들을 지켜 주고 보호해 준다고 했을 때, 양 당주께서는 그때도 의아하게 여기실 건가요?"

"그야 그건…… 아, 그렇군요."

양위는 크게 고개를 끄덕였다.

원래 화평장의 초기에는 북해빙궁의 무사들이 시녀와 하인 역할까지 도맡았다.

하지만 점점 화평장의 규모가 커지고 또 북해빙궁 무사들이 해야 할 일과 업무가 늘어나면서 강만리는 황계를 통해 일 잘하고 입 무거운 시녀들과 하인들을 데려왔다.

그들은 제 가족 살피듯 화평장 사람들을 보살폈고, 제 부모 섬기듯 화평장 사람들을 모셨다.

화평장의 대소사를 관리하는 양위는 그들이 얼마나 충심으로 화평장을 위해 일하는지 제대로 지켜보았다. 그러니 그 시녀들과 하인들이 화평장 사람들을 지켜 주고 보호해 준다는 말을 충분히 이해할 수 있었다.

"이제야 장 부인의 말씀이 무슨 뜻인지 이해가 됩니다. 속하의 짧은 생각을 깨우쳐 주셔서 감사합니다."

양위가 고개를 숙이자 당혜혜는 부끄럽다는 듯이 말했다.

"별말씀을요. 자, 그럼 조금 속도를 올릴까요? 그래도 점심은 당문에서 먹어야 하니까요."

당혜혜의 말에 따라 양위가 채찍을 휘둘렀다. 네 마리의 말들이 길게 울음을 토하며 힘차게 내달렸다.

마차가 빠르게 질주하는 가운데, 당혜혜를 태운 말을 비롯한 세 필의 말이 마차를 호위하듯 따라붙었다.

흙먼지가 사방을 뒤덮었다.

얼마 지나지 않아 사두마차는 당가타 마을 어귀로 진입했다.

그때였다. 마차가 마을로 들어서려는 순간, 몇몇 마을 사람들이 기다렸다는 듯이 갑자기 나타나 길을 막았다.

그들은 마치 농사를 짓다가 나타난 것처럼 하나같이 손에 곡괭이나 낫을 들고 있었다.

"죄송합니다만 마차는 진입할 수가 없습니다. 안으로 들어가시려면 이곳에 마차를 세워 두고 걸어가셔야 합니다."

마을 사람 중 노인이 양위를 향해 정중하게 말했다.

양위가 뭐라 대꾸하기도 전, 당혜혜가 말을 몰고 앞으로 나섰다. 마을 사람들이 인상을 찌푸리며 들고 있던 곡괭이와 낫을 고쳐 쥐려다가, 문득 당혜혜의 얼굴을 보고는 깜짝 놀라며 소리쳤다.

"아니, 당 아가씨 아니십니까?"

"아이구! 오시면 오신다고 연락을 주셨어야죠!"

마을 사람들은 반색하며 환호했다. 당혜혜는 짐짓 눈을 치켜뜨며 말했다.

"척후조(斥候組)로부터 우리가 온다는 전갈을 받지 않았나 봐요? 어떻게 내가 오는지도 모르고 있죠, 공 할아범? 흠, 정말 불쾌한데요?"

당혜혜는 팔짱을 끼며 투덜거렸다.

이 당가타에는 수십 명의 척후조와 경비조(警備組)들이 주변 백여 리 내를 오가며, 혹은 배를 타며. 혹은 산등성이에서 약초를 캐며 주변을 경계하고 낯선 사람들은 관찰한다.

그래서 양위의 사두마차같이 당가타로 향하는 이들이 있으면 약속된 신호를 통해 당가타로 연락하고, 다시 당가타에서 당가보로 연락을 취한다.

공 할아범이라는 노인은 쩔쩔매며 말했다.

"그, 그게…… 한 대의 사두마차와 세 필의 말을 모는 미녀들이 달려온다는 전갈을 받기는 했는데 미처 당 아가씨인 줄은 전혀 몰랐습니다. 죄송합니다, 당 아가씨."

그렇게 사과하던 노인은 갑자기 손바닥을 펴서 주먹을 내리치며 벌컥 화를 냈다.

"아니, 어떻게 천하의 당 아가씨도 몰라뵙고 그런 전갈을 보낸 게지? 내, 이 녀석들을 결코 가만 놔두지 않을 것이야!"

노인이 화를 내자 당혜혜가 피식 웃으며 말했다.

"됐어요, 공 할아범. 괜히 일부러 그러지 않아도 돼요. 여전히 건강하시죠?"

노인은 머쓱한 표정을 짓고는 반쯤 벗겨진 머리를 긁적이며 대답했다.

"쉰네야 늘 건강합죠. 그런데 아가씨만 오셨습니까? 당 도련님은?"

노인은 마차를 둘러보며 당혜혜의 남편 장예추를 찾았다.

원래 이 시대에는 혼인을 하면 여인이 남편 성(姓)을 따라 제 성을 바꾼다. 양위가 당혜혜를 가리켜 '장 부인'이라고 했던 게 바로 그런 이유에서였다.

하지만 당문은 달랐다. 당문은 철저하게 제 성(姓)을 지키고 보존한다. 그래서 당문 사내와 혼인하는 여인은 물론, 당문의 여식과 혼인하는 사내들 또한 당이라는 성을 따라야 했다. 즉, 장예추가 아닌 당예추, 그게 당문의 사위가 가져야 할 첫 번째 책임이었다.

예전의 일이었다.

혼인 전의 장예추가 그런 당문의 관습과 규율을 듣고 살짝 눈살을 찌푸린 적이 있었다. 굳이 제 성을 버리면서까지 당문의 여인과 혼인할 이유는 없지 않나, 라고 생각한 것이다.

그때 당혜혜가 아주 현명한 제안을 내놨다.

"당문 안에서는 당예추가 되세요. 당문 밖에서는 제가 장혜혜가 될 테니까요."

그녀의 말에 장예추는 이내 불쾌한 감정을 지울 수가 있었다. 동시에 그것은 얼마나 그녀가 똑똑하고 현명한지 다시 한번 깨닫는 순간이기도 했고, 또한 그녀와 혼인하겠다는 결심을 다지는 계기가 되기도 했다.

당혜혜는 공 노인을 향해 웃으며 말했다.

"그이는 바빠서 못 왔어요. 대신 귀한 분들을 모시고 왔으니 얼른 안에 전해 주세요."

노인의 눈이 커졌다.

"귀한 분들이시라면?"

당혜혜가 알 듯 모를 듯 미소를 지었다.

"당문에서 처음 모시는 손님들이에요."

3. 며느리

당운소(唐雲宵)는 확실히 당황하고 있었다.

그는 지난 수십 년동안 이곳 당가보에서 접객당주(接客堂主)의 이름으로 수많은 손님을 맞이하고 접대해 보았지만, 확실히 이번의 손님들은 생전 처음 맞이하는 자들이었다.

물론 그의 딸 당혜혜야 특별한 손님이 될 리 없었다. 하지만 그녀와 함께 당가보를 찾은 이들은 정말 낯설고도 특별할 수밖에 없는 인물들이었다.

"이렇게 뵙게 되어 영광입니다."

당운소는 재빨리 정신을 차리고 두 명의 중년 여인을 향해 인사했다. 마냥 그녀들을 앞마당에 세워 둘 수는 없었으니까.

"자, 안으로 드시지요."

당운소는 정중하게 그녀들을 대청으로 안내했다.

"고마워요, 반갑게 맞이해 주셔서."

중년의 귀부인들은 우아하게 인사한 후 그의 안내를 받아 대청으로 들어섰다. 그녀들의 뒤를 이어 네 명의 아름다운 여인이 대청에 들어섰다.

손님들이 모두 대청에 마련된 탁자에 둘러앉은 후에야 당운소도 따라 자리에 앉았다. 여전히 그의 가슴은 진정되지 않은 채 심하게 쿵쾅거렸다.

'세상에! 저 공적십이마 중의 야래향과 빙혼마고가 우리 당가보를 찾아올 줄이야.'

일반적인 상식으로는 도저히 상상조차 할 수 없는 일이 눈앞에 펼쳐지고 있었다.

물론 사천당문은 과거 정사대전 당시 중립을 선언했고, 그 대전에 참여하지 않았다. 또한 작금의 태극천맹이나 오대가문과도 밀접한 관계가 아니었으며 그들의 행사에 특별히 관여하거나 협조하지도 않았다.

그러나 사천당문은 어디까지나 백도 정파를 표방하는 문파였다. 사마외도의 무리들과 생사결전을 벌이지는 않았지만, 그렇다고 해서 그들과 교류를 나누지도 않았다.

그런데 느닷없이 저 공적십이마 중 두 명이 사천당문을 방문한 것이다. 그것도 당운소의 여식 당혜혜가 직접 그녀들을 모시고 찾아온 게다.

그뿐만이 아니었다.

당혜혜와 함께 온 손님들과 정중하게 수인사를 나눈 후 당운소는 다시 한번 좌중을 둘러보았다.

'이 무슨 기이한 조합이란 말인가?'

침착하기로 소문난 당운소가 내심 그렇게 중얼거릴 정도로 확실히 이 손님들의 조합은 쉽게 이해되지 않았다.

야래향과 빙혼마고와 함께 당가보를 찾아온 여인들은 놀랍게도 정사(正邪)를 걸쳐 내로라하는 여걸(女傑)들이었던 것이다.

한때 그 악랄하고 잔인한 성격과 행동으로 정파 무림인

들에게 공포와 증오의 대상이 되었던 나찰염요가 자리를 함께하고 있었다.

거기에다가 믿을 수 없게도 그녀의 옆자리에는 현 무당파 장문인인 진원도장(眞元道長)의 여식, 일검화(一劍花) 정소흔이 앉아 있었다.

또한 새외(塞外)의 거대 방파인 북해빙궁의 예예도 있었으니, 그야말로 정사마패(正邪魔覇) 모든 부류의 여인들이 한자리에 모여 있는 것이었다.

'도대체 그동안 뭘 하고 지냈던 거냐?'

당운소는 저도 모르게 제 딸 당혜혜에게로 시선을 돌렸다.

그의 딸 당혜혜 역시 그동안 못 보던 새 많은 변화가 있었던 모양이었다. 평소 표정이 딱딱하고 냉랭하기만 했던 당혜혜였는데, 지금은 부드러운 표정에 미소까지 지으며 생글생글 웃고 있었다.

표정만 달라진 게 아니었다.

얼굴이나 어깨, 허리에도 살이 제법 붙어서 이제는 확실히 아가씨가 아니라 한 사내의 아내처럼 보였다.

'다행이다. 살이 많이 찐 걸 보면 그래도 몸과 마음이 편한 모양이로구나.'

당운소는 제 딸을 보며 내심 그리 생각했다.

혼인을 하게 되면 당가보에 기거하며 터를 잡는 게 일반적인 사천당문의 부부들이었다. '당문의 데릴사위'라는 건 바로 거기에서 비롯된 말이었다.

하지만 장예추의 경우는 매우 특별한 상황이라 할 수 있었고, 그래서 장예추와 당혜혜가 외부에서 결혼 생활을 할 수 있게끔 허락해 준 것이다.

그렇게 당가보를 떠난 뒤에는 닷새 거리에 살고 있음에도 얼굴을 보기 쉽지 않은 딸이었다.

그녀의 끊이지 않는 미소와 넉넉해진 몸태를 보면서 안도하게 되는 한편, 왠지 가슴 한편이 아려오는 당운소였다.

'이런 감상에 젖을 자리가 아니다.'

당운소는 얼른 상념을 떨쳐 내고는 야래향과 빙혼마고를 향해 정중하게 말했다.

"가주께서는 마침 용무가 있으셔서 다른 장로들과 함께 잠시 출타 중입니다. 바로 전갈을 보냈으니까 용무를 마치는 대로 돌아오실 겁니다. 기다리시게 해서 죄송합니다."

"별말씀을요."

야래향이 미소를 머금으며 말했다.

"느닷없는 방문이니까요. 외려 이렇게 환대해 주시니 그저 고맙고 기쁠 따름입니다."

그녀의 조곤조곤하고 부드럽고 우아한 목소리에 당운소는 살짝 곤혹스러운 표정을 지었다.

'정말 그 야래향이 맞나?'

하는 의심이 살짝 들 정도였다.

지금 보면 야래향과 빙혼마고는 그저 우아하고 아름다우며 품위 넘치는 중년의 귀부인들이었다. 어느 누가 그녀들은 희대의 마녀(魔女)들이라고 생각하겠는가.

"따님을 정말 잘 키우셨더군요."

마침 빙혼마고가 웃으며 입을 열었다.

"웃어른은 공경할 줄 알고 지아비를 섬길 줄 알고 동기들을 챙길 줄 알며 심지어는 아이들까지 잘 돌보더이다. 우리 며느리들이 모두 심성이 고운데 그중에서도 으뜸이라 할 수 있답니다."

'우리 며느리들?'

당운소는 내심 의아해했다. 그는 영문을 모르겠다는 표정을 애써 지워 내며 말했다.

"모자란 여식을 그리 칭찬해 주시니 그저 고마울 따름입니다. 그런데 혜혜와는 어떤 관계이시기에……."

"아, 미처 말씀드리지 못했네요. 그게 그러니까……."

빙혼마고가 말꼬리를 흐리며 당혜혜를 돌아보았다.

나보다는 네가 설명하는 게 낫지 않겠느냐는 무언의 시선이었다. 당혜혜는 그 눈빛의 의미를 알아채고 얼른 입을 열었다.

"그러니까…… 저와 제 형님, 동생들이 이 두 분을 시어머니라고 생각하며 모시고 있어요."

"형님, 동생? 시어머니?"

당운소의 눈이 휘둥그레졌다. 야래향이 미소를 지은 채 입을 열었다.

"시어머니라는 말에 너무 불쾌하게 여기지 말아 주셨으면 좋겠네요. 그저 이 아이들이 너무나도 착하고 성정이 올발라서 그렇게 배려해 주는 것뿐이니까요."

"아니, 불쾌하지는 않습니다만……."

당운소는 저도 모르게 마른침을 삼켰다.

아무래도 지금 이 자리는 당운소 본인보다 자신의 아내가 있어야 하는 게 나을 것 같다는 생각이 언뜻 그의 뇌리를 스치고 지나갔다.

그는 헛기침을 하면서 마음을 가다듬은 후 차분한 어조로 다시 말했다.

"불쾌하지는 않습니다만 어떤 상황인지 모르니 그저 혼란스러울 따름입니다. 자, 혜혜야. 이 곤혹스러워하는 아비를 위해서 도대체 어떤 영문인지 제대로 설명해 주겠느냐?"

당혜혜가 웃으며 입을 열었다.

* * *

불쾌했다.

날씨도 불쾌했고 음식도 불쾌했으며, 심지어는 잠자리를 수발 드는 계집들도 불쾌했다.

성도부의 모든 것이 불쾌했다.

무엇보다 그를 가장 불쾌하게 만들고 있는 건 지난 며칠간 철목가의 수백 명 무사들을 동원했음에도 불구하고 이곳 사천 성도부에서 가장 아름답다는, 그리고 성도부 최고의 정보꾼이라는 계집 하나를 여태 찾아내지 못하고 있다는 점이었다.

황계의 성도부 지부주라는 십삼매.

어쨌든 그녀를 통해서만 그간 사정을 속 시원하게 전해 들을 수 있다는 것이, 그간 그의 수하들이 성도부 곳곳을 쏘다니며 얻어 낸 결론이었다. 그런 의미에서 반드시 그녀를 찾아내야 했다.

하지만 그가 더욱 그녀를 찾고 싶어 하는 이유는 따로 있었다.

성도부를 넘어서 사천 제일의 미녀라는 십삼매. 그 미모를 반드시 확인하고 싶었으며, 더 나아가서는 그 사천 제일의 미녀를 제 몸 아래 깔고 나뒹굴고 싶었던 것이다.

하지만 그녀는 물론 황계 지부의 모든 인물이 씻은 듯이 자취를 감추고 종적을 지웠다. 마치 이 모든 사건의 배후에 우리가 있다, 라고 웅변하듯이.

"광철단이 성도부에 당도했을 때, 때마침 무적가 사람

들이 이곳에 있었다고 합니다. 정보에 따르자면 광철단은 몽중호리(夢中狐狸)라 불리는 십삼매와 무적가 사람들에 대한 조사를 하던 중, 무적가 사람들과 동시에 실종되었다고 합니다."

"연풍회라는 정보 조직을 통해서 좀 더 고급 정보를 얻을 수가 있었습니다. 당시 광철단과 무적가 사람들이 한 객잔에서 조우한 적이 있다고 합니다. 가벼운 말싸움이 일촉즉발의 상황으로까지 번졌으나, 추 단주의 만류로 더 이상의 싸움은 없었다고 합니다. 이게 연풍회로부터 얻은 첫 번째 정보입니다."

"그로부터 이틀 후, 성도부 북서쪽 외곽 지역에서 상당한 굉음이 있었다는 게 두 번째 정보입니다. 당시 주변을 지나던 야경꾼의 말을 빌자면 천지가 진동하고 주변 건물이 우르르 무너져서 지진이라도 난 줄 알았다고 합니다. 그리고 그날 이후로 성도부에서 광철단과 무적가 무사들의 모습을 찾아볼 수가 없었다고 합니다."

잇달아 말하는 세 단주의 보고도 불쾌했다.

도대체 이런 보고를 왜 하는 건지 모르겠다. 그가 원하는 건 중간보고가 아니라 결과물이었다. 확실하게 내릴 수 있는 결론을 원했고, 또 그 결론을 바탕으로 취해야 하는 행동을 원했다.

그는 그런 간단한 것조차 제대로 가지고 오지 못한 세

단주가 불쾌하고 짜증스럽기만 했다.

그렇게 그가 불쾌한 표정을 짓고 있는 동안에도 단주들의 보고는 계속해서 이어졌다.

"수하들을 시켜서 지난 이틀 동안 북서부 외곽 지역을 샅샅이 뒤지게 했습니다. 그 결과, 놀랍게도 야산 일대에서 백여 구의 시신들을 발견할 수가 있었습니다."

"시신들은 모두 해골이 되었고 입고 있던 옷들은 다 썩어서 확인할 수가 없었지만, 그 해골과 썩은 옷자락 사이에서 그들의 신분을 확인할 수 있는 증패를 발견했습니다."

"본가 광철단과 무적가 사람들의 시신들이 확실했습니다. 그곳에서 추 단주의 증패도 찾아냈으니까요."

역시 불쾌한 보고였다.

광철단의 추경광이, 그리고 백오십 명이나 되는 광철단원이 저 이름뿐인 무적가 무사들과 싸워 공멸(共滅)했다는 게 영 마음에 들지 않았다.

모든 게 불쾌했다.

특히 그 시신들을 북서쪽 외관 야산에 묻은 자는 또 누구인지, 왜 시신들을 묻었는지 알 수 없다는 게 불쾌했다.

"아무래도 황계가 그 일과 관련이 있는 듯합니다. 그렇지 않고서야 왜 우리가 성도부에 도착하자마자 지하로 숨어들겠습니까?"

단주들 중에서 가장 노회한 금강천존이 단언하듯 말했다.

역시 불쾌했다.

5장.
시끄러운 사천당문(四川唐門)

사천당문은 다른 가문과는 달리
나이나 항렬, 배분(輩分)을 크게 신경 쓰지 않았다.
외려 가진 바 실력을 훨씬 더 중요하게 여겨서 그 실력에 따라 서열을 정했다.

1. 잘생기셨나요?

당혜혜의 이야기를 들으면서 당운소의 낯은 딱딱하게
굳어져 갔다.

그야말로 쉽게 믿을 수 없는 이야기들의 연속이었다.

북해빙궁의 소공주인 예예의 남편이자, 수년 전 황궁을
떠들썩하게 만들었던 삼황자의 역모 사건을 해결했던 무
림포두 강만리.

저 나찰염요와 부부인 동시에 한때 사선행자의 행수(行
帥)로, 사마외도에게는 악몽과도 같았던 담우천.

거기에다가 무당파 장문인의 여식인 정소흔을 아내로
둔 화군악과 또 설벽린이라는 사내까지, 장예추와 의형

제를 맺고 한 장원에서 가족처럼 지내고 있다는 게다.

그 의형제 중의 한 명인 화군악의 사부가 바로 야래향과 빙혼마고라는 것도 믿을 수 없는 이야기였고, 또 그녀들이 과거 정사대전 당시 자신들 같은 마두를 암살하던 담우천과 한 지붕 안에 기거한다는 것도 믿어지지 않았다.

그렇게 당운소가 놀라고 당황한 표정을 지우지 못하고 있을 때였다. 뒤늦게 연락을 받았던 당 부인이 대청으로 뛰어 들어오다시피 들어섰다.

"혜혜가 왔다고?"

"어머니!"

당혜혜가 자리에서 벌떡 일어나 그녀에게로 달려갔다. 당 부인이 그녀를 부둥켜안았다.

당 부인에게는 지금 대청 탁자에 둘러앉아 있는 낯선 손님들이 전혀 보이지 않았다. 당 부인은 오랜만에 만난 딸아이를 끌어안은 채 그녀의 얼굴을 쓰다듬느라 정신이 없었다.

"잘 지냈니? 이 무정한 것, 어떻게 그동안 연락 한 번 주지를 않니? 그래, 건강하지? 당 서방은 잘해 주는 거겠지? 이런 못된 것. 무심하고 냉정하기가 꼭 지 아비 닮아서……. 아휴, 살찐 것 좀 보렴. 왜 이리 살이…… 응? 가만있어 보렴."

중구난방 입에서 튀어나오는 대로 정신없이 말하던 당 부인이 일순 깜짝 놀라며 당혜혜의 배를 쓰다듬었다.

봉곳하게 부른 배는 아무래도 살이 쪄서 그런 게 아닌 듯했다. 게다가 살짝 겸연쩍은 듯 부끄러운 듯 홍조를 띤 채 미소 짓는 딸아이의 저 표정이란.

"서, 설마…… 회임한 게니?"

당 부인이 말을 더듬거리며 물었다.

당혜혜는 고개를 숙였다. 새하얀 목덜미가 빨갛게 물들었다. 언제나 당차고 힘찬 그녀의 입에서 믿어지지 않을 정도로 부끄러워하는 목소리가 조그맣게 흘러나왔다.

"네."

당 부인의 눈이 커다랗게 변했다.

"그게 정말이니? 세상에나! 안 그래도 소식이 있을 때가 되었을 텐데, 하고 생각하고 있었거든. 그래, 몇 달? 배를 보니까 서너 달 정도 된 것 같은데."

"넉 달째에요."

"어머나, 진짜 축하할 일이네. 드디어 할머니가 되는구나!"

당 부인은 주위 사람들은 아랑곳하지 않고 그 자리에서 폴짝폴짝 뛰며 기뻐했다.

"허험."

보다 못한 당운소가 크게 헛기침을 하며 당 부인의 주

의를 환기시키려 했다. 하지만 당 부인은 여전히 잔뜩 들 뜬 채 당운소를 돌아보며 소리쳤다.

"당신, 할아버지가 된대요!"

당운소는 저도 모르게 인상을 찌푸리며 좌중의 눈치를 살폈다. 야래향을 비롯한 여인들은 별다른 표정을 짓지 않았는데, 아무래도 억지로 웃음을 참고 있는 게 분명했다.

당운소는 재차 헛기침을 하며 입을 열었다.

"허험. 손님들이 계시니 그 이야기는 나중에 다시 하는 게 나을 것 같소."

그제야 당 부인은 탁자 주변에 앉아 있는 여인들을 확인 한 모양이었다. 그녀는 순간적으로 당황한 기색을 내비치더니 이내 우아하고 정중한 태도로 인사했다.

"죄송합니다. 오래간만에 딸아이를 만난 까닭에 그만 추태를 부렸네요. 너무 무례하다고 탓하지 말아 주세요."

야래향이 잔잔하게 웃으며 말했다.

"아닙니다. 덕분에 당 부인께서 얼마나 딸을 사랑하시는지 알게 되었답니다. 앞으로 자주 친정을 찾으라고 조언해 줘야겠네요."

당 부인은 살짝 고개를 갸웃거렸다.

"지금 말씀하시는 걸 보면 우리 혜혜와 함께 사시는 것 같은데…… 실례가 안 된다면 이 아이와 무슨 관계이신지……."

당운소가 내심 한숨을 쉬며 끼어들었다.

"이쪽은 야래향, 그리고 그 옆자리에 앉아 계시는 분은 빙혼마고이시오."

"네?"

일순 당 부인의 눈이 화등잔만 하게 커졌다.

다시 한 차례의 수인사와 설명이 이어졌다.

당혜혜의 말이 끝나자 당운소의 옆자리에 앉은 당 부인은 두근거리는 가슴을 진정시키면서 야래향과 빙혼마고를 돌아보며 입을 열었다.

"그러니까 사돈어른들이시군요. 미처 인사가 늦어 죄송합니다."

사돈어른이라는 말에 빙혼마고와 야래향의 안색이 밝아졌다. 그녀들은 사마외도의 마녀인 자신들을 이렇게까지 대우해 주는 당 부인의 넓은 아량과 배포에 진심으로 고마워했다.

당 부인의 합류로 분위기는 훨씬 더 화기애애하고 화목해졌다. 여인들은 서로의 근황과 안부에 대해 이야기하고 성도부의 날씨에 대해서, 그리고 서로의 남편들에 대해서도 대화를 나눴다.

그렇게 되자 막상 어색하고 할 말이 없게 된 사람은 당운소였다. 그는 머쓱한 표정을 지은 채 여인들의 수다를 가만히 듣고만 있었다.

제법 시간이 흘렀다. 한바탕 수다의 홍수가 흘러간 후, 비로소 당혜혜는 본론을 이야기했다.

"마차 안에 독에 중독된 사람이 있어요."

일순 당운소의 표정이 바뀌었다. 그는 진중한 눈빛으로 당혜혜를 바라보았다.

당혜혜는 호흡을 가다듬은 후 천천히 말을 이어 나갔다.

"그동안 많이 노력했지만 더 이상 제 힘으로는 어떻게 할 수가 없었어요. 그래서 아버님과 가문의 도움을 받기 위해 데리고 왔어요."

당운소는 잠시 생각하다가 불쑥 물었다.

"상태는?"

"독인(毒人)의 단계에 접어들고 있어요. 아직까지는 이지(理智)가 남아 있지만, 지금 상태로는 광인(狂人)이 될 확률이 구 할이 넘을 것 같아요."

"이런."

당혜혜의 대답에 당운소는 눈살을 찌푸리고는 다시 질문을 던졌다.

"어느 방면의 독공 고수가 시술을 하였느냐?"

"황계라고 알고 있어요."

"황계? 황계라면 일개 정보 조직에 불과하지 않더냐?

그들이 어떻게 독공을······."

"실은 황계가 저 공적십이마를 비롯해서 과거 사마외도의 효웅거마(梟雄巨魔)들과 관련이 있거든요."

당운소는 저도 모르게 야래향과 빙혼마고를 돌아보았다. 그녀들은 잠자코 고개를 끄덕이는 것으로 당혜혜의 말이 사실임을 알려주었다.

"허어."

탄식을 내뱉은 당운소는 다시 당혜혜를 돌아보며 물었다.

"그럼 그 황계라는 자들의 저의(底意)는 당연히 독선(毒仙)을 만들고자 했던 게고?"

당혜혜는 고개를 끄덕이며 대답했다.

"네, 그래요."

당운소는 이마를 짚으며 곤혹스러운 표정을 지었다.

"독선은 독의 전문가라 할 수 있는 묘강독문(苗疆毒門)이나 우리도 아직 만들어 내지 못했거늘······."

"그래도 아직은 희망이 있을 것 같아요. 석 오라버니의 호흡에서 독기(毒氣)가 흘러나오지 않거든요."

"그래서 아직 완벽한 독인이 되지 못했다는 게로구나."

당운소는 알겠다는 듯이 중얼거렸다.

"그렇다면 원상태로 돌려놓을 희망이 조금은 있군그래."

독인이 되면 손톱이나 치아, 발톱은 물론 전신 피부와 심지어는 들이마시고 내뿜는 숨결에서도 독기가 뿜어져 나왔다.

천만다행으로 아직 석정의 호흡은 일반 사람이 내쉬는 그것과도 같았고, 그동안 당혜혜는 석정이 독인화(毒人化)되는 과정을 최대한 늦추고 있었다.

"하지만 이제 제 힘만으로는 부족해서요. 아무래도 당 사숙(四叔)의 도움이 필요할 것 같아 찾아왔어요."

당혜혜는 진지한 눈빛으로 절실함을 담아서 당운소를 바라보며 그리 말했다.

원래 사천당문은 가주를 위시하여 세 명의 종주(宗主)가 있다. 약(藥)을 다루는 약종주(藥宗主)와 독을 다루는 독종주(毒宗主), 그리고 기병이기(奇兵異器)를 다루는 기종주(器宗主)가 바로 그들이었다.

현 독종주는 사숙(四叔)인 당운보(唐雲寶)로, 아직 혼인도 하지 않고 혼자 사는데 그 잘생긴 외모와 유쾌한 성격 때문에 뭇 여인들이 애간장을 태우고 있었다.

"참, 당 사숙은 아직도 혼자 사시나요?"

당혜혜는 자신을 마치 딸처럼 끔찍하게 여기고 예뻐해 주는 당운보를 떠올리며 물었다.

당운소는 다시 눈살을 찌푸리며 한숨을 쉬었다.

"누가 좀 데려갔으면 좋겠구나."

그 말에 빙혼마고가 눈빛을 반짝이며 입을 열었다.

"저도 마침 혼자랍니다."

"마고!"

야래향이 깜짝 놀라며 그녀를 노려보았다. 빙혼마고는 어깨를 으쓱거리며 말했다.

"처녀, 총각끼리 잘해 보자는 게 죽을죄도 아니고."

"허험. 그럼 그 석정이라는 친구를 만나 봐야겠군."

당운소가 재빨리 화제를 돌리며 자리에서 일어나려 하자, 당혜혜는 얼른 입을 열었다.

"당 사숙께 데리고 가는 게 더 낫지 않을까요?"

"운보는 지금 본가에 없다."

"네? 어디 출타하셨어요?"

"그래. 가주와 함께 외출 중이다. 연락을 보냈으니 늦어도 모레까지는 돌아올 게야. 그동안 그 석정이라는 자의 상태를 보고 간단한 조처를 해 두어야겠지."

당혜혜는 좀 더 자세히 물어보려 했다. 하지만 왠지 그녀의 부친이 더 이상 이야기하는 것을 꺼리는 듯한 눈치라 얼른 자리에서 일어났다.

"그럼 제가 마차까지 모실게요. 대부인들과 언니, 동생들은 잠시 기다리고 계세요."

그렇게 좌중을 둘러보며 말한 당혜혜는 곧 당운소와 함께 대청을 나섰다.

이제 대청에는 당 부인과 야래향을 비롯한 손님들만이
남게 되었다.

사뭇 어색한 분위기가 대청을 휘감으려 할 때, 빙혼마
고가 활짝 웃으며 당 부인을 향해 입을 열었다.

"그럼 이제 우리끼리 담소라도 나눠 보죠."

"아, 네."

당 부인이 어색하게 웃으며 말했다.

아무리 당혜혜가 시어머니 모시듯 모시는 사람이라고
는 하지만, 그래도 상대는 어디까지나 공적십이마의 마
녀 빙혼마고였다. 그 빙혼마고와 마주 앉아 있는 것이 불
편하고 어색하고 께름칙한 건 너무나도 당연한 일이었
다.

그러나 빙혼마고는 전혀 그런 기색이 아니었다. 그녀는
더할 나위 없이 친근한 미소를 입가에 가득 담으며, 심지
어는 눈웃음까지 치면서 입을 열었다.

"그래. 그 당 사숙이라는 분, 잘생기셨나요?"

2. 독문회합(毒門會合)

"흠, 생각보다 심각하군."

"역시 그렇죠?"

"아까 대청에서 네가 했던 말과는 다르구나. 이건 거의 돌이킬 수 없는 상황인 것 같은데…… 왜 그리 말했지?"

"죄송해요. 차마 다른 사람들이 있는 자리에서 석 오라버니의 회생은 거의 불가능하다고 말할 수가 없어서 거짓말을 했어요."

"으음, 그렇구나. 하지만 저들도 현실을 직시하고 냉정하게 이 상황을 파악해야 하지 않겠느냐?"

"그래도 당 사숙이라면 뭔가 방법을 찾아내시지 않을까 해서요."

"하기야 운보라면…… 지금 우리가 보는 것보다 훨씬 더 정밀하고 정확하게 파악할 수 있을 테니까."

"참, 가주와 당 사숙께서는 무슨 일로 출타하신 건가요?"

"묘강독문 일로 운남(雲南)에 가셨다."

"묘강독문이요? 아, 삼 년에 한 번씩 치루는 독문회합(毒門會合)이 올해였군요."

묘강독문은 운남에서도 남쪽, 이른바 남만(南蠻)의 밀림(密林) 깊숙한 곳에 위치한 문파였다.

중원의 한족과는 다른 역사와 문화, 언어를 지닌 이족(異族)이지만 독술(毒術)에 관한 한 사천당문과 더불어 천하양대독문(天下兩大毒門)이라고 인정을 받았다.

사천당문은 지난 백여 년 동안 삼 년에 한 번씩 그 묘강독문과 만나서 그동안 연구한 독술을 비교 검증하고 토론하는 식으로 서로의 장단점을 보완하였고, 그렇게 독술을 발전시켜 왔다.

그 회합을 독문회합이라 불렀으며, 대략 열흘에서 보름 정도의 기간을 두고 독술에 관해 토론하고 경쟁했다.

물론 경쟁의 방법은 여러 가지였다. 예를 들자면 각자 만든 독을 두고 그 독약에 들어간 종류를 알아맞히는 것도 있었고, 심지어는 독약을 마신 후 어느 쪽이 먼저 해독(解毒)하느냐 하는 경쟁도 있었다.

"그래. 가신 지 스무날 가까이 흘렀으니 이제 돌아오실 때가 되었지. 이번에는 곤명(昆明)에서 회합을 가졌으니까 늦어도 이틀 안에 돌아오실 거다. 참, 그건 그렇고…… 축하한다."

"네? 아, 네. 감사합니다."

"한꺼번에 워낙 많은 이야기가 나와서 미처 축하한다는 말도 하지 못했구나. 그래, 넉 달째라고?"

"네."

"조심하거라. 특히 첫 애를 임신했을 때 가장 조심해야 한단다."

"그리하겠어요. 아버님."

"흠, 생각해 보니 못마땅하구나. 갓 임신한 아내를 홀로 친정으로 보내다니, 지아비라는 자가 어찌 그리 무심하단 말이냐?"

"그이는 아무런 잘못이 없어요. 제가 독단적으로 결정했고, 또 고집을 부려서 성사된 일이거든요. 게다가 혼자라니요. 저와 동행한 사람들이 누구인지 잘 아시잖아요?"

"으음."

당운소는 말문이 막혔다.

하기야 야래향과 빙혼마고 이상 가는 호위가 또 어디 있겠는가.

당운소는 마차에서 내려왔다. 당혜혜는 석정이 편안하게 잠들어 있는 걸 재차 확인한 다음 마차에서 내렸다.

이후 양위가 공손한 모습으로 문을 닫았다. 당운소는 뒷짐을 진 채 잠시 그 광경을 지켜보았다.

'북해빙궁의 당주라고 했던가? 확실히 실력도 있고, 충성심도 대단한 것 같구나.'

게다가 당혜혜를 비롯한 여인들과 함께 대청에 오르지 않고 이곳에 남아서 석정을 돌보고 있는 건 그만큼 자신의 역할을 잘 알고 있다는 의미였다.

'아마도 그 화평장이라는 곳에서도 상당한 중책을 맡고 있을 터……'

그 정도 되는 인물을 호위무사로 딸려 보냈다는 건 역시 그 정도로 당혜혜 등의 안위를 걱정했다는 뜻이리라.

하지만 당운소는 여전히 마음에 들지 않았다.

'무정한 사위라니까. 마지막으로 본 지도 오래되었거늘.'

이럴 때 제 아내와 함께 찾아왔으면 얼마나 좋았겠는가. 씨암탉 몇 마리라도 잡아 줄 수 있는데 말이다.

"흠. 고약한 놈."

부지불식간에 당운소의 입 밖으로 그런 말이 튀어나왔다.

"네?"

당혜혜가 움찔 놀라며 그를 쳐다보았다.

"아, 아니다."

당운소는 부드러운 눈빛으로 그녀를 바라보며 말했다.

"자, 안으로 들어가자꾸나. 네 엄마가 기다리고 있겠다."

그렇게 말한 당운소는 문득 저도 모르게 피식 웃으며 중얼거렸다.

"홀로 천하의 야래향과 빙혼마고를 상대로 곤욕을 치르고 있을 게다. 얼른 가서 구해 주지 않으면 나중에 꽤나 혼나겠지."

그는 서둘러 대청으로 향했다.

당혜혜가 부친을 따르다가 문득 뒤를 돌아보았다. 마차 옆에 서 있던 양위와 눈이 마주쳤다.

'들어오시죠?'

당혜혜가 눈짓으로 권했다.

'괜찮습니다.'

양위도 눈짓으로 대답하고는 정중하게 허리를 숙였다. 더 이상 당혜혜도 정중하게 고개를 숙인 후 몸을 돌려 대청으로 향했다.

*　*　*

야래향과 빙혼마고가 당문을 찾았다는 소식을 뒤늦게 전해 들은 당문의 중진들이 앞다퉈 당운소의 장원을 찾았다.

그들은 꽤 조심스럽고 긴장된 표정을 지은 채 야래향과 빙혼마고와 인사를 나눴다.

중진들 대부분은 당운소의 형제나 사촌들로, 그중에는 약종주와 심지어 어지간한 일로는 제 처소를 벗어나지 않는다는 기종주도 있었다.

그들은 야래향과 빙혼마고와 인사를 나눈 후에도 대청을 떠나지 않고 자리를 지켰다. 어쩔 수 없이 대청에는 새로 탁자와 의자를 들여야 했고, 또 그날 저녁에는 제법 성대한 연회가 펼쳐졌다.

당문 사람들은 만찬의 음식들과 술을 즐기면서도 당혜

혜가 모시고 온 이 손님들의 기묘한 조합을 신기해하는 눈빛으로 지켜보았다.

야래향은 우아했고 빙혼마고는 활달했다. 그녀의 쾌활한 웃음과 짓궂거나 혹은 끈적거리는 농담에 당문의 중진들은 사뭇 당황하고 난감한 표정을 지었다.

하지만 시간이 흐르고 분위기가 무르익어 가면서 점점 빙혼마고의 농담을 즐기는 이들이 많아졌다.

예예는 얌전하게 두 마녀의 시중을 들었으며, 나찰염요는 냉랭하고 서늘한 표정을 지은 채 술을 마시고 음식을 먹었다. 정소흔은 무림 정파의 법도(法道)와 예식(禮式)에 걸맞게 말하고 움직였다.

어느덧 빙혼마고가 한마디 할 때마다 대청 곳곳에서 웃음보가 터져 나왔다.

술이 불콰하게 오른 중진 몇몇은 그녀에게 지지 않겠다는 듯이 음탕한 농담을 건네기도 했다. 수치스럽거나 부끄럽거나 혹은 화가 날 법한 농담도 있었지만, 빙혼마고는 웃으며 그 모든 농담을 받아 주었다.

자정이 될 때까지 그 만찬의 분위기는 식을 줄을 몰랐다. 만약 당운소가 만찬 자리를 파하지 않았더라면, 당부인이 몇몇 실없는 중진들을 노려보지 않았더라면, 아마도 그 만찬은 새벽까지 이어졌을지도 몰랐다.

이윽고 만찬은 끝났고 중진들은 아쉬운 발길을 돌려야

만 했다. 당운소와 당 부인은 야래향들에게 장원의 별채를 따로 내줬다.

별채에서 시녀들의 도움을 받으며 번갈아 목욕을 끝낸 여인들은 젖은 머리카락을 치렁치렁 휘날리며 객청 차탁에 앉았다. 시녀들이 차를 따르고 과자와 말린 과일을 내놓고 사라졌다.

"그녀들을 부르려면 저 줄을 잡아당기면 돼요."

당혜혜는 객청 입구에 매달린 줄을 가리키며 말했다.

"줄을 잡아당기면 별채 뒤쪽에 있는 시녀들의 거처에 종이 울리게끔 되어 있거든요."

"호오, 재미있는 발상이로구나. 역시 사천당문이로군 그래. 그런 사소한 것까지 기관 장치를 사용하다니 말이야."

빙혼마고가 차탁에 앉으며 다리를 꼬았다. 옷자락 사이로 탱탱한 허벅지가 고스란히 드러났다.

어느덧 환갑이 가까워진 나이였지만 그녀의 허벅지는 여전히 흐벅지고 기름졌으며, 종아리는 늘씬하게 뻗어서 발목으로 이어지고 있었다.

그녀는 늘어지게 기지개를 켜며 말을 이었다.

"아휴, 오늘 오래간만에 떠들었더니 힘들어 죽겠네. 그나저나 그 영감탱이들, 내 젖가슴 훔쳐보는 거 봤지? 역시 사마외도나 정파나 상관없이 고추 달린 사내자식들은 다 똑같다니까."

"됐어. 애들 앞에서 점잖지 못하게시리."

야래향이 수건으로 머리를 말리며 걸어와 차탁에 앉자, 당혜혜가 얼른 그녀 쪽으로 말린 과일을 끌어 주었다.

빙혼마고는 야래향의 타박에 피식 웃음을 흘리며 말했다.

"여기 애들이 어디 있다고. 자네와 나만 빼고 다들 남편이 있는 유부녀들이 아닌가? 외려 여태 혼인을 못한 우리들이 애라면 애겠네."

"또, 또 그런 궤변으로 사람 입을 막으려 하네. 정말 입담 하나는 당대 최고라니까."

"어디 입담뿐이겠어? 아까 봤지? 사내 홀리는 재주도……."

"아휴. 그만하자, 이제."

야래향은 가볍게 손사래를 친 후 당혜혜를 돌아보며 화제를 돌렸다.

"이제 됐다. 너는 그만 가서 부모님과 못다 나눈 이야기라도 하렴."

"아뇨, 괜찮아요."

"아니다. 필요한 거 있으면 줄을 잡아당길 것이니 너는 그만 가 보렴."

"그래. 대부인께서 오래간만에 옳은 말씀 하셨네. 얼른 가 봐. 안 그래도 어머님, 너를 기다리느라 아직 주무시지 않고 계실 거야."

"그래도……."

당혜혜가 망설이자 나찰염요를 비롯한 다른 여인들도 함께 부추겼다.

"어르신 말씀을 들어."

"그래요, 언니."

"내가 잘 모실게. 걱정하지 마."

그렇게 동서들까지 나서서 떠밀자 결국 당혜혜는 어쩔 수 없다는 듯이 자리에서 일어났다.

"그럼 편히 쉬세요. 부족한 게 있으면……."

"알았어. 줄을 당길게."

나찰염요가 웃으며 그녀를 떠밀었다.

"그럼 죄송합니다."

당혜혜는 여전히 미적거리며 객청을 나섰다.

하지만 문이 닫히자마자 그녀는 달라졌다. 붉게 달아오른 그녀의 얼굴에는 환한 미소가 가득 차 있었다.

그녀는 나는 듯 한달음에 별채를 벗어나 당 부인이 기다리고 있을 내당으로 달려갔다. 그 어느 때보다도 빠르고 경쾌한 경공술이었다.

창밖으로 희미한 파공성이 들렸다.

차를 마시던 야래향은 잔잔한 미소를 머금은 채 고개를 설레설레 흔들며 중얼거렸다.

"저리 좋으면서 내숭은……."

그 말을 들었는지 객청 안에 있던 모든 여인들이 빙긋 웃었다. 그녀들 모두 당혜혜의 행동을 이해할 수 있었던 것이다.

사천당문의 밤은 그렇게 깊어 갔다.

3. 금문삼령고법(禁門三靈蠱法)

다음 날 당운소의 장원 앞에는 새벽같이 모여든 사람들로 문전성시를 이루고 있었다.

문지기의 연락을 받고 밖으로 나온 당운소는 절로 눈살을 찌푸렸다. 문 앞에서 서성거리다가 당운소를 보고는 넙죽 허리를 숙이는 사람들 모두 다들 낯익은 자들이었다.

그들은 당가보의 중진들을 위해 일하고 있는 하인들이었으며, 하나같이 붉은 색의 배첩(拜帖)을 들고 있었다.

'초대장이로군.'

배첩을 본 당운소는 내용을 확인하지 않고서도, 이자들이 왜 새벽같이 이곳을 찾았는지 쉽게 눈치챌 수 있었다.

'그녀들을 오찬(午餐)에 초대한다는 거겠지.'

그녀들이라면 당연히 야래향과 빙혼마고를 뜻했다. 즉, 당가보의 중진들은 어제 수인사를 나눴던 전대 마녀들과 더욱더 깊이 있는 교류를 원하는 것이었다.

'시곤 촌부들도 아니고 이거야 원.'

당운소는 가볍게 혀를 찬 다음 엄중한 목소리로 말했다.

"다들 배첩을 가지고 돌아가라. 볼일이 있으면 직접 찾아와 나부터 만나서 이야기하라고 각 장주들에게 전하라."

그의 매서운 한마디에 하인들은 아무 말도 할 수 없었다. 그저 고개를 푹 숙이고는 힘없는 걸음걸이로 제 주인들을 향해 돌아갈 따름이었다.

소동은 그것으로 끝나지 않았다. 정오 무렵에는 각 중진들이 당운소를 직접 찾아와 항의하는 일들이 있었다.

"점심 한 끼 대접하겠다는 게 그리 어려운 일이오?"

"아니, 당문의 손님을 왜 당 칠숙의 개인 손님처럼 생각하시는지 모르겠습니다."

"이거 내 체면을 생각해서라도 그렇게 하는 게 아닐세, 일곱째."

중진들은 각각의 이유를 들어 당운소에게 따지고 물었다. 자신보다 연배가 높고 서열이 높은 이의 질책에 조금은 위축될 법도 했지만 당운소는 전혀 아랑곳하지 않고 그들의 요청을 일축했다.

"가주가 오시기 전까지는 내 개인 손님으로 모실 것입니다. 그러니 이런 일로 굳이 찾아오지 않으셔도 됩니다."

그의 딱딱하고 냉랭한 말투에 중진들은 다들 눈살을 찌푸리고 돌아갔다. 몇몇 이들은 끝까지 화를 참지 못하고 소리를 높였지만, 한 점 흔들림 없는 당운소의 모습에 결국 포기를 하고 돌아서야 했다.

그렇게 시간이 흘렀다.

당운소의 말대로 이틀 후, 독문회합을 위해 당문을 떠났던 이십여 명의 사람들이 돌아왔다. 가주와 독종주, 그리고 그들의 호위를 책임진 무사들이었다.

가주와 독종주가 돌아온다는 전갈을 받은 당문의 중진들은 다들 당가타 마을 어귀까지 나가서 그들을 맞이했다.

제법 오랜 여정임에도 불구하고 가주 철심혈루(鐵心血淚) 당운학(唐雲鶴)과 독종주 당운보는 활기차 보였다.

당운학은 기다리고 있던 당운소를 보자마자 활짝 미소를 지으며 말을 건넸다.

"귀한 손님들이 오셨다면서?"

당운소는 고개를 숙이며 대답했다.

"네. 지금 제 장원에 묵고 있습니다."

"좋아. 얼른 경과보고를 한 후에 자리를 잡기로 하세."

당운학은 고개를 끄덕이며 성큼성큼 마을 안으로 들어섰다.

가주를 비롯한 십여 명의 중진들, 현재 당문을 이끌어 나가고 있는 수뇌부들이 가주의 장원에 모였다.

관례대로 가주와 독종주는 지난 독문회합에서 있었던 일들에 대해 수뇌부들에게 이야기하고 설명했다.

"이번 회합에서 묘강독문이 선보인 건 다름 아닌 고독술(蠱毒術)이었습니다."

회합에 대해 보고하는 독종주 당운보의 모습에서는 평소의 그 장난꾸러기와 같은 얼굴을 전혀 찾을 수가 없었다. 그는 한없이 진지한 표정으로 말을 이어 나갔다.

"그들이 가지고 나온 고독술은 금문삼령고법(禁門三靈蠱法)라 하여, 한 명의 술자(術者)가 세 마리의 고를 동시에 부리는 술법입니다."

"으음."

"허어."

듣고 있던 수뇌부들 중 몇몇이 저도 모르게 신음을 흘렸다. 그들의 표정을 보아하니 상당히 놀라고 당황한 기색이 역력해 보였다.

원래 고(蠱)라는 건 일종의 기생충으로, 고독술은 술자가 제 피로 사육하면서 영적인 교감을 나누고 심령(心靈)을 통한 다음, 적의 몸속으로 투입하여 적을 굴복시키거나 혹은 암살하는 술법을 말한다.

　반면 하나의 항아리에 맹독을 지닌 여러 동물과 곤충을 가득 담아서 서로 잡아먹게 한 다음 마지막 남은 한 마리를 고독(蠱毒)이라고 하는데, 독에 정통하지 않은 이들은 고와 고독을 혼용해서 사용하기도 했다.

　약종주 당운강(唐雲岡)이 침중한 목소리로 말했다.

　"일반적인 고는 기껏해야 두 마리, 모고(母蠱)와 자고(子蠱), 혹은 음양고(陰陽蠱)가 전부이거늘 굳이 세 마리의 고를 사용하는 이유가 무엇인지 궁금하구려."

　"안 그래도 설명해 드리려던 참입니다."

　독종주 당운보가 차분하게 말했다.

　"세 마리의 고는 각각 서로 다른 임무를 지니고 적의 몸속으로 들어갑니다. 두개골을 뚫고 뇌로 들어간 뇌령고(腦靈蠱)는 적의 이지(理智)를 제압해서 술자의 뜻대로 생각하도록 만들고 심장을 파고 들어간 심령고(心靈蠱)는 적의 목숨을 제어하여 언제든지 죽일 수 있도록 합니다."

　당가 사람들은 마른침을 삼키며 당운보의 이야기에 집중했다.

　사실 뇌령고니 심령고니 하는 건 기존의 고와 크게 다

를 바가 없었다. 아직까지는 묘강독문에서 굳이 세 마리의 고를 사용하는 술법을 만든 특별한 이유가 보이지 않았다.

그런 당가 중진들의 마음속을 들여다보기라도 한 듯 당운보의 다음 말이 이어졌다.

"그 세 마리 고 중에서 가장 중요하고 놀라운 건 공령고(功靈蠱)라는 녀석입니다. 공령고는 단전에 파고들어서 그 안에 내재되어 있는 내공을 술자에게 넘겨주는 역할을 합니다."

일순 그의 말이 끝나기가 무섭게 중진들이 앞다퉈 불신의 소리를 외쳤다.

"뭐라? 그게 가능한 일이오?"

"믿을 수 없소이다. 어찌 그런 일이 있을 수가 있겠소?"

갑자기 대청이 시끄러워졌다.

당운보는 그들이 진정하기를 기다린 다음 소란이 가라앉자 다시 입을 열었다.

"사실입니다. 저와 가주께서 직접 확인한 일이니까요."

사람들의 얼굴이 딱딱하게 굳어졌다.

＊　＊　＊

이윽고 회의가 끝났다. 가주의 장원을 나서는 중진들의

얼굴은 하나같이 창백하게 굳어 있었다.

"만약 묘강독문이 그 금문삼령고법을 완성시킨다
면…… 어쩌면 묘강독문이 천하를 지배할 날이 올지도
모르겠습니다."

"나도 그리 생각하네. 상대를 죽이거나 내 꼭두각시로
만드는 것으로 모자라, 이제는 아예 상대의 내공까지 빼
앗아 내 것으로 만들다니……. 도대체 어떻게 그런 생각
을 했을까?"

"으음, 그건 확실히 우리가 미처 떠올리지 못한 술법이
네요. 역시 남만(南蠻)의 족속들이라 그런지 기상천외한
생각을 다 하는 것 같습니다."

사람들은 삼삼오오 모여서 나지막하게 대화를 나누며
장원을 빠져나갔다.

당운소는 장원 대문 앞에 서서, 그런 대화를 나누며 멀
어져 가는 중진들을 가만히 지켜보았다.

이윽고 독종주 당운보가 대문을 걸어 나왔다. 당운소가
그를 불러 세웠다. 당운보가 활짝 웃으며 당운소에게 다
가왔다.

"부르셨습니까, 칠숙?"

당운소가 말했다.

"따로 말씀드릴 게 있소이다, 사숙."

"그래요? 그럼 이쪽으로……."

당운보는 당운소를 한쪽 구석진 길로 끌고 갔다.

사천당문은 다른 가문과는 달리 나이나 항렬, 배분(輩分)을 크게 신경 쓰지 않았다. 외려 가진 바 실력을 훨씬 더 중요하게 여겨서 그 실력에 따라 서열을 정했다.

그런 연유로 나이가 훨씬 어린 당운보가 넷째, 사숙이 되었고 당운소가 일곱째, 칠숙이 된 것이다.

다른 중진들의 모습이 보이지 않게 되자 당운보가 웃는 낯으로 물었다.

"무슨 일이십니까?"

당운소가 차분하게 말했다.

"내 딸아이의 손님 중 한 분이 독에 중독이 되었소. 내가 보기에는 독인화가 되어 가는 과정에 접어든 것 같은데 아무래도 사숙께서 한번 봐 주셔야 할 것 같소이다."

"호오."

당운보의 눈빛이 살짝 빛났다.

사실 독을 이용하여 독선(毒仙)을 만드는 건 역대 모든 독종주의 꿈이자 야망이었다. 그건 당운보 또한 마찬가지였다.

그러나 인륜에 어긋나고 천륜에 벗어난다는 이유로 한동안 살아 있는 사람에게 일부러 독을 투입하고 중독시키는 일이 금지되었고, 그래서 꽤 오랫동안 독선에 대한 야망은 접어 둬야만 했다.

그런데 이렇게 독인화가 되어 가는 과정에 있는 자가 제 발로 굴러 들어온 것이다. 어찌 가슴이 두근거리지 않을 수가 있겠는가.

무엇보다 당운보에게는 이번 독문회합에서 느꼈던 처절한 좌절감과 패망감에서 벗어날 좋은 기회이기도 했다.

당운보는 다급하게 발걸음을 옮기며 뒤늦게 입을 열었다.

"어서 가서 봅시다. 이런 건 그야말로 시간이 좌우하는 일이니까요."

6장.
독선(毒仙)

독인(毒人)은 결국
자신의 체내에 쌓은 독을 이기지 못한 채 이지를 상실하고 광인이 된다.
그리고 결국에는
그 독에 함몰되어 죽거나 녹아내리는 것으로 최후를 맞이한다.
하지만 그 체내의 독을 견디고 이겨내서
스스로 독을 다스리고 제어할 수 있는 단계로 접어들면
바로 그를 두고 독선이라 부른다.

1. 독종가(毒宗家)

당운소는 당운보와 함께 자신의 장원으로 돌아왔다. 마당 구석진 곳에 말 없는 마차가 덩그러니 놓여 있었다. 당운소는 당운보에게 잠시 기다리라고 말하고는 서둘러 내당으로 향했다.

잠시 후 당운소는 당 부인, 그리도 당혜혜와 다른 손님들과 함께 내당에서 마당으로 걸어 나왔다. 마당을 서성거리던 당운보가 그들을 보고는 가볍게 허리를 숙였다.

"먼 길 고생하셨어요, 당 사숙."

당 부인이 환하게 웃으며 말하는 가운데 당혜혜가 야래향들을 돌아보며 나지막하게 소곤거렸다.

"독종주세요, 우리가 기다리고 있던."

일순 야래향과 빙혼마고의 눈빛이 서늘하게 반짝였다. 마침 당운보는 당 부인과 함께 환담을 나누는 중이었다.

"언제 당 칠숙과 함께 운남에 가 보세요. 정말 경치가 끝내줍니다. 아, 조금 지대가 높아서 처음에는 숨쉬기가 힘들기는 하지만 시간이 지나 익숙해지면 외려 몸이 더 가볍게 느껴집니다."

"그런데 그 좋은 곳을 다녀오셨으면서 선물은 없나 보네요."

"아, 그게…… 허험, 워낙 빡빡한 일정인지라 미처 선물을 살 시간이 없었습니다. 그건 그렇고, 저분들이 바로 이번에 본문을 찾아오신 귀빈들이신가 보군요."

당운보는 서둘러 화제를 돌렸다.

당운소는 속으로 피식 웃고는 이내 진중한 표정을 지으며 양쪽을 소개했다.

"인사들 나누시죠. 이쪽은 본문의 독종주, 당 사숙이시고 이쪽은 내 딸아이가 신세를 지고 있는 분들입니다."

당운보가 먼저 포권의 예를 취하며 말했다.

"당운보라 합니다."

야래향들이 따라 공손하게 인사했다.

"야래향이라는 옛 별호는 잊은 지 오래니까 우(禹) 부인이라고 불러 주세요."

"빙혼마고라고 해요. 마고(魔姑)라 불러도 좋고, 사(史) 부인이라고 불러도 좋아요. 듣던 대로 잘생기셨네요. 아얏, 왜 꼬집는데?"

"성도부 화평장의 강 부인이라고 해요. 잘 부탁드립니다."

"성도부 화평장의 화 부인입니다."

"성도부 화평장의 담 부인입니다."

야래향과 빙혼마고와는 달리 예예와 정소흔, 나찰염요들은 제 남편들의 성을 따라서 자신을 소개했다. 사실 그게 일반적인 관례였고, 그래서 당운보도 전혀 개의치 않았다.

하지만 시간이 흐르면서 차츰 그의 얼굴이 굳어진 건 다름 아닌 당운소의 전음 때문이었다.

─ 강 부인은 북해빙궁의 공주, 예예라는 분이시오. 화 부인은 무당파 현 장문인인 진원도장의 여식 일검화 정소흔 소저이고, 담 부인은 나찰염요라고 하오.

당운보는 저도 모르게 입을 쩍 벌렸다.

이틀 전 당운소가 그러했듯이 또 당 부인이 그렇게 놀랐듯이, 당운보 역시 이 말도 안 되는 기묘한 조합 앞에서 그 어떤 말도 할 수가 없었다.

당운소가 입을 열었다.

"가주께서 이분들을 뵙자고 하셔서 함께 가 봐야겠소.

독종주께서는 내 딸아이와 함께 그 중독된 손님을 봐 주시구려."

당운보는 겨우 정신을 차리고 대답했다.

"그, 그리하겠습니다."

그때였다.

뒤쪽에 물러나 있던 예예가 한 걸음 앞으로 나서며 조심스럽게 입을 열었다.

"실례를 무릅쓰고 부탁을 드립니다. 저도 혜혜 언니와 함께 지켜보고 싶어요."

당운소의 눈이 가늘어졌다.

가주의 초대를 거절하고 이곳에 남아 있겠다는 건 확실히 실례였고 또 무례한 일이었다.

그때 당혜혜가 당운소에게 다가가 귀엣말을 건넸다.

"예예 동생의 친오라버니 같은 분이에요. 이곳에 있는 누구보다도 당 사숙을 기다렸고요."

당운소의 얼굴이 살짝 풀어졌다. 그는 잠시 생각하다가 고개를 끄덕이며 말했다.

"알겠소. 그리합시다."

당운소는 곧장 여인들을 이끌고 대문을 빠져나갔다.

"다음에 봐요, 당 사숙."

빙혼마고가 당운보를 향해 한쪽 눈을 찡긋거리고는 나풀나풀 걸어갔다. 야래향이 뭔가 나무라는 듯한 소리가 희미하게 들리더니 이내 대문 밖으로 사라졌다.

당운보는 멍한 눈으로 그 뒷모습을 지켜보다가 한 차례 부르르 몸을 떨면서 정신을 차렸다. 마치 한바탕 꿈을 꾼 듯한 기분이었다.

이제 마당에는 당운보와 당혜혜, 그리고 예예만이 남아 있었다.

당운보는 예예를 바라보며 속으로 중얼거렸다.

'이 어린 아가씨가 북해빙궁의 공주이자, 화평장이라는 장원의 안주인이란 말이지?'

짧은 시간 당운소의 전음을 통해 전해 듣기로는 화평장은 다섯 의형제와 그 가족들이 모여 사는 장원이라고 했다. 화평장의 주인은 강만리라는 자로, 예예는 그의 어린 아내라고 했다.

―마차 안의 환자는 석정이라는 인물로, 강만리의 친동생과 같은 사이라고 하더군.

당운보는 그런 당운소의 전음을 떠올리면서 예예를 향해 입을 열었다.

"그럼 이제 마차로 가 보실까요?"

당운보는 예예, 당혜혜와 함께 마당 구석진 곳에 놓인 마차로 향했다. 마차 문 앞에 대기하고 서 있던 중년 사내가 살짝 허리를 숙이고는 문을 열었다.

'호오, 일개 마부라고 생각할 수 없을 정도의 고수로군.'

당운보는 중년 사내, 양위에게 눈인사를 건넨 후 마차 안으로 들어섰다.

일순 그의 콧등이 절로 씰룩거렸다.

마차의 실내는 온갖 냄새가 뒤섞여 있었다. 살이 썩어 들어가는 고약한 냄새, 고름 냄새, 그리고 짙고 강렬한 약재의 냄새들이 뒤엉켜서 똬리를 틀고 있었다.

당운보는 마차 좌석 한쪽을 차지하고 길게 누워 있는 사내를 내려다보았다.

기껏해야 이십대 중후반으로 보이는, 아직 살날이 한참 남아 있는 젊은 친구였으리라.

하지만 지금은 그 원형을 알아볼 수 없을 정도로 흉측하게 변한 외모에다가, 손과 발 할 것 없이 칭칭 동여맨 붕대 사이로 물집이 터져 고름이 흥건하게 흘러내리고 있었다.

뒤늦게 올라온 예예와 당혜혜가 서둘러 고름을 닦아 내고 다시 붕대를 갈았다.

그녀들은 그 흉측한 외모나 썩어 들어가는 냄새는 전혀 신경 쓰지 않고 마치 제 자식 병간호하듯 부드럽고 다정하며 조심스럽게 석정이라는 환자를 보살폈다.

그 짧은 순간의 행동만으로도 당운보는 이들 여인이, 화평장 가족들이 이 환자를 얼마나 진심으로 사랑하고 아끼고 있는지 충분히 알 수 있었다.

당운보는 환자의 곁으로 다가가 상태를 살폈다. 정신을 잃은 데다가 호흡도 희미했고 중간중간 끊어질 때도 있었다. 누가 보더라도 중상, 곧 죽어도 전혀 이상하지 않을 정도의 상태라는 게 확연했다.

　하지만 당운보는 쉽게 판단하지 않았다. 그는 환자의 눈을 까뒤집어 보고 입을 벌려 혀를 살피기도 했으며 맥을 짚으면서 보다 정밀한 진찰을 해 나갔다.

　당혜혜와 예예는 그 광경을 초조한 눈빛으로 지켜보았다. 문득 당혜혜가 예예의 손을 쥐었다. 예예가 살짝 놀라며 당혜혜를 돌아보았다.

　당혜혜가 고개를 끄덕였다.

　당운보의 실력을 믿으라는 듯한 의미일 것이다. 당운보라면 반드시 석정을 살려 줄 수 있을 거라고, 당혜혜는 생각하고 있는 듯했다.

　예예도 고개를 끄덕였다. 그녀도 당혜혜의 손을 꼭 잡아 주었다.

　얼마나 시간이 흘렀을까. 이윽고 당운보가 자리에서 일어났다.

　당혜혜가 조심스레 물었다.

　"어떤가요?"

　당운보가 말했다.

　"곧장 내 집으로 데려가야겠구나."

그의 목소리는 낮고 무거웠다. 당혜혜와 예예의 안색이 똑같이 굳어졌다.

예예가 빠르게 마차에서 내려 양위를 불렀다. 지시를 받은 양위는 곧 마구간에 있던 말들을 데려와 마차에 연결했다.

당운보도 마차 밖으로 나와 곧장 마부석으로 향했다.

"예서 이십여 장 정도 거리외다. 길은 내가 안내하겠소."

당운보의 말에 따라 양위는 곧장 마차를 몰아 당운소의 장원을 벗어났다. 큰길을 따라 오른쪽, 왼쪽 두 번 꺾어지고 나서 첫 번째 장원, 그곳이 바로 당운보의 거처인 독종가(毒宗家)였다.

느닷없는 사두마차의 출현에 독종가 사람들은 잠시 당황했지만, 곧 양위와 함께 마부석에 앉아 있는 당운보를 보고는 얼른 허리를 숙였다.

당운보가 빠른 어조로 물었다.

"구명소(救命所)는 비어 있지?"

"네, 장주."

"마차 안에 중환자가 있다. 얼른 그곳으로 환자를 모시도록."

당운보의 지시를 받은 독종가 사람들이 빠르게 움직였다. 몇몇 이들은 마차를 장원 앞쪽으로 이동시켰고, 몇몇 이들은 들것을 가지고 와서 석정을 눕혔다.

당운보는 양위와 당혜혜, 예예를 이끌고 회랑(回廊)을 따라 본청 오른쪽으로 이어진 별채로 향했다.

별채의 현판에는 구명소라는 현판이 걸려 있었다. 온갖 약재향이 그 별채 안에서 흘러나오고 있었다.

문을 열고 들어서자 하얀 복면으로 얼굴을 가리고 하얀 두건을 깊게 눌러쓴 이들이 침상을 정리하다가, 당운보를 보고 허리를 숙였다.

"됐다. 계속하거라."

당운보의 말에 백의를 정갈하게 갖춰 입은 사람들은 빠르고 솜씨 좋게 방을 정리한 다음 밖으로 나갔다.

마치 그들과 교대하듯 곧바로 석정의 들것이 들어왔고, 석정은 곧 새로 깨끗하게 정리한 침상 위에 눕혀졌다.

"십이해독탕(十二解毒湯)을 준비하고, 이독삼습환(利毒滲濕丸)을 가져오거라."

당운보는 석정 곁으로 다가가며 연신 지시를 내렸다.

"십이해독탕은 독을 빼내는 목욕물이라고 생각하면 돼요. 이독삼습환은 체내에 있는 독을 땀으로, 그리고 소변으로 배출시키는 약이고요."

당혜혜가 예예를 위해 낮은 목소리로 설명하는 와중에도 독종가 사람들은 쉴 새 없이 빠르게 움직였다. 당혜혜와 예예, 양위는 행여 그들에게 방해가 될까 봐 한쪽 구석으로 물러나야 했다.

사실 석정은 독종가 사람들에게 느닷없이 나타난 중환자였다. 하지만 마치 미리 준비하고 있었다는 듯 능수능란하고 적절하게 행동하는 것만 보더라도 그들의 실력이 어느 정도인지 익히 짐작할 수 있었다.

예예가 초조한 가운데에서도 살짝 안도의 한숨을 내쉰 이유가 바로 거기에 있었다.

2. 지고무상(至高無上)의 경지

독종가 사람들은 석정의 붕대를 벗긴 다음, 고름이 흥건하고 썩어 가는 전신 골고루 약물을 발랐다. 꽤나 독한 약물인 듯 사람들이 약물을 상처 부위에 바를 때마다 혼절한 상태의 석정이 절로 움찔거리고 꿈틀거렸다.

당운보는 주먹 만한 환단을 일곱 가지 약재로 만든 약물에 넣고 갠 다음, 석정을 반쯤 일으켜 안고서 먹였다.

그는 자신의 옷에 고름과 썩은 살점, 핏물이 묻어나는 것도 아랑곳하지 않은 채 오로지 석정이 그 약물을 제대로 받아먹을 수 있게 하는 데에 온 정신을 집중했다.

거의 한 식경 가까운 시간이 흐른 뒤에야 당운보는 석

정을 조심스레 뉘였다.

때마침 문밖에서 독종가 사람의 목소리가 들려왔다.

"십이해독탕이 준비되었습니다. 욕조는 어디에 둘까요?"

당운보는 땀을 닦다가 문득 예예와 당혜혜를 돌아보고는 어깨를 으쓱거리며 말했다.

"목간(沐間)에 마련하라. 그리고 이 환자를 그곳으로 모시도록 하고."

"알겠습니다."

독종가 사람들의 움직임이 다시 빨라졌다.

"자, 이리로."

당운보가 예예들을 향해 손짓했다. 예예와 당혜혜, 양위는 그의 안내를 받으며 다시 구명소를 나와 회랑을 따라 본청으로 향했다.

예예가 뒤를 돌아보자 당운보가 웃으며 말했다.

"거기 있어도 더 이상 할 일이 없다오. 우리 독종가 사람들을 믿고 조금 마음 편하게 가지시오."

예예의 얼굴이 살짝 붉어졌다.

본청의 대청 탁자에는 미리 준비한 듯 차와 말린 과일, 과자들이 놓여 있었다. 당운보를 위시하여 네 사람은 각자 자리에 앉았다.

당운보가 찻잔을 들었다. 나머지 세 사람도 찻잔을 들

고 예(禮)에 응했다.

　뜨거운 녹설차(綠雪茶)를 한 모금 마신 후 당운보는 한
결 밝아진 얼굴로 찻잔을 내려놓으며 말했다.

　"경정녹설(敬亭綠雪)이라 하더니 확실히 직접 경정산
(敬亭山)에서 채취한 녹설은 가히 항주 용정차에 못지않
구려."

　경정산은 안휘성의 고성(古城)인 선성(宣城)에 위치한
명산(名山)으로, 그곳에서 나는 설록차는 천하일품으로
알려져서 이미 동진(東晉) 때부터 황제에게 바치는 공차
(貢茶)로 지정되었다.

　"이 경정설록에는 제법 운치 있는 전설이 있다오."

　당운보는 살짝 미소를 머금으며 말했다.

　"원래 경정산에는 녹설(綠雪)이라는 차를 따는 아가씨
가 있었는데, 그녀가 차를 딸 때는 손이 아니라 입으로
찻잎을 물고 땄다고 하오. 그러던 어느 날 절벽에 올라
차를 따다가 그만 실족하여 죽고 말았지 뭐요."

　예예는 입술을 잘강잘강 씹었다.

　석정의 안위가 걱정되어서, 그를 진찰하고 치료한 경
과가 궁금해서 초조해 죽겠는데 정작 당운보는 한가롭게
귀에도 들어오지 않는 옛날이야기나 하는 것이다. 당운
보의 그 태평함에 예예는 짜증이 왈칵 일었다.

　하지만 당운보는 여전히 아랑곳하지 않고 말을 이어 나

갔다.

"그 후 세상 사람들은 그녀를 기려서 경정산의 차를 경정녹설이라고 부르기 시작했다는 이야기가 전해져 내려온다오. 하하하, 별로 재미가 없었나 보오. 다들 표정이……."

"재미가 없는 게 아니라요, 당 사숙."

당혜혜가 결국 그의 말을 잘랐다.

"석정 오라버니의 지금 상황이 어느 정도인지, 당 사숙의 결론을 듣고 싶어서 지금 다들 초조하게 있는 거라고요."

"아, 그랬나?"

당운보는 머리를 긁적이며 웃었다.

"어차피 급할 것 없다고 생각해서 조금 더 편히 쉬게 할 작정이었는데……. 내 생각이 틀렸나 보군."

그렇게 중얼거리며 차 한 모금을 마신 당운보는 이내 진지한 표정을 지으며 당혜혜와 예예, 양위를 둘러보았다. 예예는 저도 모르게 마른침을 꿀꺽 삼켰다.

"한마디로 말하자면……."

이윽고 당운보가 입을 열었다.

"이미 늦었소."

"아아!"

예예는 저도 모르게 탄식을 내뿜었다. 당혜혜가 얼른

그녀의 손을 꼭 쥐었다.

하지만 예예의 손을 쥔 당혜혜의 손도 사뭇 떨리고 있었다.

당운보는 냉정하게 말을 이어 나갔다.

"이미 중독 상태가 중하고 그 과정에서 제대로 된 치료나 해독을 하지 않았기 때문에 아무리 노력해도 이제 평범한 범인으로 돌아갈 수는 없게 되었소."

"으음."

예예의 신음이 낮게 흐르는 가운데 당운보의 말이 계속해서 이어졌다.

"지금 환자의 상태에서는 그 어떤 명약(名藥)과 좋은 약을 써도 완쾌되지 못하오. 이대로 죽거나 광인이 되거나 그중 좋아 봤자 폐인이 되거나 할 것이오."

"그게 전부인가요?"

예예가 울음을 참으며 물었다.

"더 이상 우리가 할 수 있는 게…… 아니, 당 독종주께서 하실 수 있는 게 아무것도 없나요?"

당운보는 가만히 그녀를 바라보다가 천천히 고개를 끄덕이며 말했다.

"물론 있소."

예예의 얼굴이 살짝 밝아졌다.

당운보는 행여 그녀가 잘못된 기대를 하지는 않을까 싶

었는지 얼른 말을 이어 나갔다.

"우선은 지금 저 상태에서 본문의 비전(祕傳)의 처방을 사용하여 독강시(毒殭屍)처럼 만드는 방법이 있을 법하오."

"당 사숙!"

당혜혜가 깜짝 놀라 소리쳤다. 당운보는 가볍게 손을 내저으며 더욱 냉정하게 말했다.

"마지막으로는 죽이 되든 밥이 되든 더욱 독을 투입해서 독인의 경지를 벗어나 독선으로 이르게끔 하는 것이오. 만에 하나 독선이 된다면 그야말로 기사회생의 한 수가 되는 것이지만, 그렇지 못할 경우에는 지금 내가 이야기했던 그 모든 경우보다 더 지독한 고통 속에서 죽음을 맞이하게 될 것이오."

당운보는 잠시 생각하다가 말을 덧붙였다.

"아마 죽을 때까지 온몸이 불타는 듯한 고통을 느끼며 괴로워하게 될 것이오. 그게 열흘이 될지, 한 달이 될지는 아무도 모르겠지만."

그의 말이 끝났지만 누구 하나 입을 여는 이가 없었다. 그만큼 당운보의 이야기는 충격적이었고 암담했던 것이다.

그래도 일말의 기대를 가졌던 예예는 입술이 찢어져라 깨물었고, 당혜혜와 양위 또한 절망적인 표정을 감추지 못했다.

사형 선고.

그랬다. 당운보의 말은 사형 선고와 다를 바가 없었다.

무겁고 암울한 침묵이 내려앉는 가운데 당운보가 찻주전자를 들고 사람들의 빈 찻잔에 차를 따랐다.

쪼로록.

찻물 흐르는 소리가 유난히 크게 울려 퍼졌다.

그 소리에 정신을 차린 것일까. 예예가 조심스레, 힘겹게 입을 열었다.

"그럼 독선이 될 확률은 어느 정도인가요?"

그녀의 질문에 당운보는 입을 열지 못했다. 당혜혜가 머뭇거리다가 한숨처럼 말했다.

"수백 년 역사를 통해서 꽤 많은 노력이 있었지만 지금껏 단 한 명도 배출하지 못했어요."

"아아⋯⋯."

예예의 얼굴이 무너져 내렸다. 당혜혜는 애써 그녀를 외면하며 말을 이었다.

"그건 우리나 묘강독문이나 모두 마찬가지예요. 수백 년 동안 연구하고 개발을 거듭했지만 단 한 번도 성공하지 못했죠. 저 묘강독문과의 독문회합이 시작된 이유도 거기에 있거든요. 어떻게든 힘을 합쳐서 독선을 만들어 보자는⋯⋯. 그러니 독선이란 곧 독공(毒功)을 사용하는 자들의 염원인 셈이죠."

　원래 독공이란 크게 세 가지로 나눌 수 있었다.

　하나는 용독술(用毒術)로, 말 그대로 독을 사용하는 수법을 말한다.

　무기나 암기에 발라 사용하거나 몰래 뿌리는 수법 혹은 음식에 타는 요령 등은 물론 독을 분석하고 해독하는 것까지 용독술에 포함된다.

　다른 하나는 독사나 전갈, 지네 등의 독충(毒蟲)과 독물(毒物)을 다스리고 제어하는 기술을 말한다.

　이 수법은 특히 저 묘강독문의 성명절기(盛名絶技) 중 하나로, 묘강독문 사람들 중에는 수백 수천 마리의 독벌이나 독개미를 자신의 수족처럼 부리는 이들도 있고, 고독을 전문적으로 사용하기는 이도 있었다.

　마지막으로는 몸속에 심어 둔 독을 내공처럼 운용하거나 손톱 등에 갈무리된 독을 이용하여 상대를 해치는 무공을 가리킨다.

　그리고 바로 이 세 번째 방법을 익힌 자를 독인(毒人)이라 부른다.

　독인은 결국 자신의 체내에 쌓은 독을 이기지 못한 채이지를 상실하고 광인이 된다. 그리고 결국에는 그 독에 함몰되어 죽거나 녹아내리는 것으로 최후를 맞이한다.

　하지만 그 체내의 독을 견디고 이겨 내서 스스로 독을

다스리고 제어할 수 있는 단계로 접어들면 바로 그를 두고 독선(毒仙)이라 부른다.

독(毒)에 관한 한 지고무상(至高無上)의 경지. 바로 그 독선이야말로 사천당문을 비롯한 모든 독문(毒門)들의 염원이었다.

3. 최선의 방법

"원래 몸속에 독을 심거나 손톱, 손바닥 등에 독기(毒氣)를 채우는 건 매우 위험한 일이오. 언제 독인이 되어 스스로 괴멸할지 모르는 일이니만큼 우리 같은 경우에는 확실한 해독약을 복용하고 또 언제나 상비약을 가지고 다니오."

당운보는 시선을 돌려 힐끗 구명소 쪽을 바라보며 말을 이어 나갔다.

"하지만 그 석정이라는 분은 그런 최소한의 방지나 대책도 없이 무작정 독을 심은 것 같소. 마치 최단 시일 내에 승부를 보겠다는 듯이 부작용이나 오류 같은 건 전혀 신경 쓰지 않은 채 독을 먹고 바르고 심은 상태라오."

입술을 깨물고 있던 예예가 낮게 탄식하며 입을 열었다.

"우리 때문이에요."

당운보가 입을 다물고 그녀에게로 시선을 돌렸다.

예예는 금방이라도 쏟아질 것 같은 눈물을 억지로 참으며 말했다.

"우리 화평장은 엄청난 강적들과 싸워야 하는 상황이었어요. 당시 전 포쾌(捕快)였던 석정 오라버니는 무공이 현저히 낮아서 우리들에게 도움이 되지 않는다고 판단했나 봅니다."

예예는 울지 않기 위해서 몇 번이고 호흡을 가다듬으며 말을 이어 나갔다.

"그래서 석 오라버니는 당 독종주의 말씀대로 최단 기일 내에 최고의 고수가 되기 위해 독공을 연마하기 시작했어요. 마침 주변에 독공에 대해 연구한 조직이 있어서 그들의 도움을 받으면서요."

당혜혜와 양위의 눈가에도 눈물이 글썽거렸다. 환하게 웃으며 화평장을 나서던, 그 마지막 석정의 모습이 떠올랐던 것이다.

"만약 우리가 미리 알았다면 반드시 말렸을 거예요. 애당초 우리가 그 조직에게 석 오라버니를 보냈던 건 독공을 익히라는 게 아니라 최소한, 오라버니의 몸 하나 정도는 간수할 수 있을 정도의 무공을 익히라는 의도였으니까요."

더는 참지 못한 것일까. 아니면 말하면서 감정이 북받쳐 오른 것일까. 예예의 눈에서 눈물이 주르륵 흘러내렸다.

"우리가 왜 모르겠어요. 불과 일이 년 사이에 상승 고수가 될 리가 없다는 걸요. 그저 앞으로 다가올 환난과 혼란의 시대에서 오라버니 홀로 살아남을 수 있는 무공만 익힐 수 있다면, 그게 최선이라고 생각했거든요. 그런데 오라버니는 엉뚱하게시리 우리들에게 도움이 되겠다는 마음을 먹었던 거예요. 스스로 독인이 되면서까지 말이죠."

힘들게 거기까지 말한 예예는 곧 소매를 들어 씩씩하게 얼굴을 닦았다. 분과 화장이 얼룩져서 얼굴이 형편없게 되었다.

당혜혜가 손수건을 건넸다.

예예는 "고마워요, 언니."라고 말하며 손수건을 받아 다시 얼굴을 닦았다.

대청의 공기는 더욱 무겁게 내려앉았다.

"허험."

당운보가 어색하게 헛기침을 하며 입을 열었다.

"좋은 오라버니였구려."

예예가 고개를 끄덕이며 말을 받았다.

"네. 아주 멍청한 오라버니이기도 했고요."

당혜혜가 손수건을 돌려받으며 말했다.

"그래요. 정말 사람 좋은 미소를 지을 줄 아는 분이셨죠."

양위가 한숨을 쉬며 말했다.

"늘 유쾌하고 긍정적이며 떠들썩한 분이셨습니다. 덕분에 우리들은 피곤함을 잊을 수 있었고, 긴장과 초조함을 떨칠 수가 있었으니까요."

"좋은 사람이었구려."

그들의 말을 들은 당운보가 고개를 끄덕이며 중얼거렸다.

"원래 좋은 사람에게 좋지 않은 일들이 일어나는 법이오. 그건 그렇고……."

당운보는 감상을 떨쳐 내며 진중한 목소리로 말을 이었다.

"최대한 빨리 결정해야 할 것이오. 그냥 이대로 죽거나 폐인이 되는 걸 지켜보느냐, 아니면 독강시로 만드느냐. 독강시라면 지금 우리의 힘으로 충분히 만들 수 있소. 강시에 대해서는 제법 나름대로의 연구 결과도 있었고."

아닌 게 아니라 사천당문은 몇 년 전 강시독(殭屍毒)에 중독되었던 소림의 고승을 치료한 적이 있었다. 그 와중에 사천당문은 강시에 대해 충분한 연구를 할 수가 있었다.

당운보의 말에 예예는 물론이고 당혜혜, 심지어 양위조차도 용납할 수 없다는 표정을 내비쳤다.

아무리 목숨을 부지할 수 있다고는 하지만, 그래도 스스로 사고할 수 없고 판단할 수 없는 강시를 만든다는 건 결코 말이 안 되는 일이었다.

사람들의 그런 속내를 알아차렸을까. 아니면 그 또한 독강시는 불가(不可)하다고 여겼을까. 당운보는 망설이지 않고 말을 이어 나갔다.

"내 생각에는 죽이 되든 밥이 되든 독선을 목표로 계속해서 몸속에 독을 투입하고 심어 가야 하지 않을까 싶소. 물론 솔직히 말한다면 그 성공률을 일 할, 아니 일 푼도 되지 않겠지만 말이오."

당운보는 게서 한숨 돌린 후 다시 천천히 말을 이어 나갔다.

"또 실패한다면 내가 말한 세 가지 방법 중에서 견딜수 없는 고통 속에 세상 모든 걸 저주하며 빠르게 죽음을 맞이하게 될 것이오. 역대 독선에 도전했던 이들 모두 그렇게 죽음을 맞이했으니까."

사람들은 입술을 깨물었다. 누구 하나 쉽게 입을 여는 이가 없었다.

다들 머릿속 생각은 비슷했다. 당운보가 제시한 세 가지 방법 중에서 그나마 가장 나은 건 독선을 목표로 하는 일이었다.

하지만 워낙 실패할 확률이 높고, 또 석정에게 너무 견디기 힘든 고통을 안겨 준다는 점에서 망설일 수밖에 없었다.

차라리 더 이상의 고통 없이 죽음을 맞이할 수 있도록,

안락사를 시키는 게 최선의 방법이 아닐까 하는 생각이
들 지경이었다.

　그때 예예가 결심한 듯 입을 열었다.

　"석정 오라버니의 뜻에 따르겠어요."

　그녀는 확고한 의지가 담긴 눈빛으로 담운보를 쳐다보
며 말했다.

　"어떤 방법이든, 심지어 차라리 이대로 죽여 달라고 해
도 그 말을 따르겠어요. 쉽게 결정할 수 없는 선택을 석
오라버니에게 미룬다고 비난하셔도 어쩔 수가 없어요.
그래도 자신의 삶에 대한 마지막 기회의 선택은 본인 스
스로 해야 한다고 생각하니까요."

　"누가 언니를 비난하겠어요?"

　당혜혜가 얼른 그녀를 위로하듯 말했다.

　"나도 언니의 의견에 동의해요. 역시 자기 일은 자신이
결정하는 게 최선인 거죠. 참, 언제 석정 오라버니가 깨
어날 수 있을까요, 당 사숙?"

　질문은 받은 당운보는 살짝 눈살을 찌푸리며 말했다.

　"무엇보다 지금의 석 소협과 제대로 된 대화를 할 수 있
겠느냐? 라는 질문이 먼저 있어야 하지 않을까 싶은데."

　당혜혜의 얼굴이 살짝 굳어졌다.

　"그럼 앞으로 제정신을 차릴 가능성이 없는 건가요?"

　"글쎄."

당운보는 애매하게 말했다.

"지금 상황에서는 아무런 확답도 할 수가 없지. 꽤 오랫동안 혼절 상태라고 했으니까, 그 상태가 언제까지 지속될 지는 나도 알 수가 없네."

"각성초(覺醒草)나 자설단(紫雪丹)을 복용케 하면 안 될까요?"

당혜혜가 물었다.

각성초나 자설단은 모두 당문에서 제조한 약제(藥劑)로 열을 내리고 독기를 풀며 경련을 누르고 정신을 차리게 하는 약효를 지녔다.

당운보는 고개를 끄덕이며 대답했다.

"안 그래도 아이들에게 그런 주문을 해 두기는 했지. 과연 효용이 있을지 없을지는 모르겠지만."

이독삼습환을 복용하게 하고 십이해독탕으로 몸을 씻겨서 체내에 있는 독기를 배출하게 한 다음 독종가 사람들이 할 일이 바로 그 자설단과 각성초를 석정에게 먹이는 일이었다.

"깨어나면 내게 보고하라고 말해 두었다. 지금쯤이면 목욕을 다 끝내고 약을 먹었을 것 같군."

"깨어나기까지 얼마나 시간이 걸릴까요? 그리고 깨어날 확률은 어느 정도 될까요?"

예예가 다급하게 묻자 당운보는 다정하게 미소를 지으

며 대답했다.

"너무 걱정하지 마시오. 아까는 조금 비관적으로 이야기했지만, 반드시 깨어날 것이오. 이렇게 강 부인과 혜혜, 그리고 양 당주께서 진심으로 걱정하고 있는데 깨어나지 않을 리가 있겠소?"

하지만 예예는 여전히 불안하고 초조한 기색이었다. 그녀는 저도 모르게 대청 문 쪽으로 힐끗 고개를 돌렸다. 밖에서 발걸음 소리가 들리지 않는지 청력을 기울이기도 했다.

"자, 한 잔 더 마시고 여유를 가져요."

당혜혜가 차를 한 잔 따르며 말했다.

"우리들이 먼저 지치면 안 되니까요. 끝까지 희망을 가지고 반드시 석정 오라버니를 일어나게 만들겠다는 각오로 버티려면, 그만한 체력과 정신력이 필요하거든요."

'흐음.'

당운보는 그녀들의 대화를 들으며 살짝 고개를 갸웃거렸다.

'왜 두 사람 모두 존대를 하는 게지? 서로 언니라고 칭하면서 말이야.'

아니나 다를까, 이번에는 예예가 당혜혜에게 '언니'라고 말했다.

"고마워요, 언니."

예예는 방금 따른 차를 마시며 한숨을 돌렸다. 뜨거운 찻물이 목을 타고 오장육부를 휘감자, 한껏 긴장되었던 신경들이 풀리면서 한결 몸과 마음이 안정되었다.

그제야 비로소 예예는 이 경정녹설이라는 차의 향기와 맛을 알 수 있게 되었다.

"정말 좋은 차네요. 한 모금 마셨는데 이렇게 몸과 마음이 진정되다니요."

예예는 살짝 미소를 지으며 말했다. 당혜혜가 웃으며 말을 받았다.

"정말 좋은 차죠. 화평장에도 들여놓으려고 했는데 그이가 별로 내켜하지 않아서……."

그이라면 당연히 장예추를 뜻하는 말이다. 예예가 의아하다는 표정을 지으며 물었다.

"왜요?"

"자기 입맛에는 쓰다는 거예요. 용정차가 훨씬 낫다고 하더라고요. 그래서 남편 의견에 따르기로 했죠."

'허어.'

일순 당운보의 눈이 휘둥그레졌다.

저 자기 주장 강하며 고집 세기로는 사천당문에서 손가락 안에 들어가는 당혜혜가 남편의 의견을 존중하여 자신의 생각을 버린다는 게 쉽게 믿어지지 않았던 것이다.

역시 결혼을 하면 달라지는 것일까.

아니면 당혜혜조차 달라지게 만들 정도로 장예추라는
녀석이 대단한 걸까.

당운보는 수년 전의 기억을 떠올렸다.

당시 당혜혜는 장예추라는 청년과 강시독에 중독된 소
림사 노승을 데리고 당문으로 돌아왔다. 그리고 느닷없
이 장예추를 제 남편감이라고 소개했으며, 그 바람에 당
문 전체가 한바탕 난리가 나기도 했다.

'괜찮은 친구였지. 인물도 좋고 성격도 나쁘지 않고 무
엇보다 무공이 강했던 친구였지.'

당운보는 그 장예추라는 자를 보면서 장차 무림의 거물
이 될 거라고 생각했다. 그럴 만한 능력과 충분한 자격이
있다고 여겼다.

또 당운보는 이 년 전의 일을 떠올렸다.

그때 장예추가 화군악이라는 동료와 함께 사천당문을
찾아왔던 일이 있었다. 당시 그들은 건곤가의 음양마라
강시를 분쇄하고 그들의 야망을 박살 낸 일로 당문 사람
들에게 큰 환영을 받았다.

당운보는 장예추 못지않은 실력을 지닌 화군악을 보면
서 앞으로의 무림은 이들이 이끌고 갈 것으로 생각했다.

그런데 작금에 와서 돌아가는 상황을 보니, 그 장예추
와 화군악에 버금가는 혹은 더 뛰어난 세 명의 의형제들
이 있다는 게다. 게다가 그 의형제들 모두 당혜혜 못지않

은 대단한 여인들을 아내로 맞이했다고 했다.

'확실히 무당파 장문인의 여식이라면 우리 혜혜보다 못할 게 없기는 하지.'

거기에 나찰염요를 아내로 맞이한 자도 있고, 북해빙궁의 공주를 부인으로 둔 자도 있었으니……

'응? 가만있자. 그럼 나머지 한 명은?'

당운보는 속으로 손가락을 꼽아보다가 문득 다섯 명의 의형제들 중 한 명의 아내가 없다는 사실을 뒤늦게 깨달았다.

'아마 이번 여행에 함께하지 않은 모양이로구나. 그 부인은 도대체 얼마다 대단한 거물일까?'

당운보가 그렇게 설벽린의 있지도 않은 부인에 대해서 궁금해할 때였다.

대청 밖에서 인기척이 들려왔다.

일순 사람들의 신경이 모두 그곳으로 향했다. 때맞춰서 문밖에서 소리가 들려왔다.

"환자가 깨어났습니다."

당운보를 제외한 대청 탁자에 앉아 있던 이들이 자리에서 벌떡 일어나는 순간이었다.

7장.
만독불침(萬毒不侵)

예를 들자면, 처음에는 꿀벌의 독침처럼 약한 독을 투입하고 반응을 본다.
독성이 과하다 싶으면 해독약을 먹여가면서
점점 체내에 내성(耐性)이 쌓이게 만든다.
더 이상 꿀벌의 독이 듣지 않게 되면 그보다 높은 독성을 지닌,
두꺼비 독이나 말벌의 독 등을 사용해서 더욱 내성을 강화한다.

1. 출가외인(出嫁外人)

석정이 깨어났다는 소식에 사람들은 엉거주춤 일어선 채 당운보를 돌아보았다.

'정말이지, 다들 하나같이…….'

당운보는 저도 모르게 쓴웃음을 흘리며 입을 열었다.

"그럼 가 볼까?"

그렇게 말하며 당운보가 막 자리에서 일어설 때였다.

문밖으로 또 다른 인기척이 느껴지더니 이내 누군가 큰 소리로 외쳤다.

"가주께서 납시었습니다!"

일순 사람들의 안색이 급변했다.

가주라면 말 그대로 사천당문의 수장, 철심혈루 당운학을 가리키는 단어였다.

'아니, 가주가 왜 이곳을…….'

사람들은 당황해하며 서로를 돌아보다가 당운보에게로 시선을 향했다.

영문을 모르기는 당운보도 마찬가지였다. 하지만 그는 당황해하지 않았다.

당운보는 가볍게 헛기침을 하면서 목소리를 조율한 다음 낭랑하게 말했다.

"어서 안으로 모셔라."

"네!"

대답과 함께 대청의 문이 열렸다. 당운학을 위시로 하여 십여 명의 인물들이 줄을 서서 들어왔다.

일순 예예와 당혜혜의 눈이 휘둥그레졌다. 그 줄지어 들어오는 사람 중에 야래향과 빙혼마고, 나찰염요와 정소흔이 끼어 있었던 것이다.

당문의 가주와 중진들의 입장에 양위는 조심스럽게 뒤로 물러서려고 했다.

당운보가 그걸 보고 만류했다.

"양 당주께서도 함께하시죠."

"아, 네."

양위는 머쓱한 표정을 지은 채 다시 제자리에 섰다.

시녀들이 빠르게 자리를 정리했다. 인원수에 맞게 의자가 들어오고, 식탁의 다과(茶菓)가 새롭게 나왔다.

그러는 동안 당운학과 예예들은 당운보의 안내에 따라 서로 수인사를 나누고 있었다.

"이쪽은 본문의 가주이십니다. 그리고 이쪽은 사천 성도부 강만리, 강 대협의 부인인 강 부인이라고 합니다."

"처음 뵙겠습니다. 찾아가 뵙지 못한 무례, 용서하시기 바랍니다."

"허허. 무례라니요. 용서하고 말 것도 없소이다. 이렇게 뵙게 되어 반갑기 그지없구려."

"그리고 이쪽은 화평장을 지키는 호원당주이자 순찰당주이신 양위, 양 대협입니다. 원래 강 부인을 모시던 북해빙궁의 당주셨다고 합니다."

"명성 드높은 사천당문의 가주를 뵙게 되어 영광입니다."

"역시 오래 살다 보니 저 유명한 북해빙궁의 분까지 뵐 수 있게 되는구려. 반갑소이다. 잘 오셨소."

그렇게 계속해서 인사가 이어진 후, 사람들은 새롭게 마련된 자리에 앉았다.

사각진 탁자 정면에는 당운학이 앉았고, 그 우측으로는 약종주, 독종주, 기종주와 당운소를 비롯한 사천당문의 중진들이 배석했으며, 좌측으로는 야래향과 빙혼마고,

나찰염요와 정소흔, 당혜혜와 예예, 그리고 양위가 자리를 잡았다.

"이야기는 들었소."

차를 술처럼 따라 건배를 한 후 당운학이 입을 열었다.

"아무리 부탁을 받았다고는 하지만 무작정 독을 투입하고 심어서 독인을 만들다니, 황계라는 조직이 생각보다 훨씬 더 무모한 것 같구려."

확실히 야래향들을 통해서 석정이 이렇게 되기까지의 이야기를 모두 들은 모양이었다.

"독을 다루고 제어하는 건 곧 생명과 직결되는 일이니만큼 보다 신중하고 철저하게 진행되었어야 하는데 말이오."

당운학은 혀를 차며 말을 이어 나갔다.

"물론 독선이라는 게 전인미답(前人未踏)의 경지는 아니오. 기나긴 무림의 역사를 통틀어 최소한 다섯 명 이상은 나왔으니까 말이오. 그리고 그중 두 명은 본문 출신이기도 했고."

일순 예예가 깜짝 놀라며 그를 쳐다보았다. 당운학은 어깨를 으쓱거리며 말했다.

"아쉽게도 그분과 그자가 독선이 되기까지의 과정이나 방법은 이미 실전(失傳)이 되었소."

'그분과 그자?'

예예가 내심 고개를 갸우뚱거리는 동안에도 당운학의 이야기는 계속 이어졌다.

"어쨌든 본문은 최선을 다해 석 소협을 치료하겠소. 아울러 절정단심사와 환빈야연 등을 포함한 당가의 암기와 독극물들을 원하는 만큼 드리겠소. 그것으로 저 오대가문을 상대해 무너뜨릴 수 있다면 말이오."

예예는 침착한 표정을 지으며 애쓰며 고개를 숙였다.

"감사합니다."

"잘됐어요, 언니."

옆자리에 앉아 있던 당혜혜가 웃으며 말했다.

"당문의 적극적인 후원을 받게 된 이상, 세상 그 누구도 두려워할 이유가 없어요."

어찌 생각하면 오만하다고 느껴질 정도의 자신감이었지만 어쨌든 사천당문의 암기와 독극물은 확실히 그렇게 주장할 수 있는 위력을 지니고 있었다.

예예도 웃으며 당혜혜에게 말했다.

"모두 언니 덕분이에요. 고마워요."

"고맙기는요. 제가 한 건 아무것도 없어요."

그때였다. 당운소가 문득 눈살을 찌푸리며 나무라듯 입을 열었다.

"혜혜야, 지금 뭐 한 게지?"

당혜혜는 움찔거리며 부친을 돌아보았다.

"무슨 말씀이신지요?"

그녀는 영문을 모르겠다는 표정을 지으며 물었다. 당운소는 가볍게 한숨을 쉬더니, 야래향과 빙혼마고를 향해 고개를 숙이며 말했다.

"죄송합니다. 제가 너무 오냐오냐 키우는 바람에 예의범절에 대해 너무 무심했나 봅니다. 저 아이의 버릇없는 행동과 말투는 모두 제 불찰 때문이니 모쪼록 저를 욕해 주시기 바랍니다."

느닷없는 당운소의 사과에 야래향들은 물론이거니와 당혜혜도 당황하여 어쩔 줄 몰라 했다.

당혜혜가 재차 물었다.

"도대체 제가 뭘 잘못했다고 그러시는데요? 말씀해 주시면 얼른 고치겠습니다."

"허어."

당운소는 탄식하며 말했다.

"아직도 모르겠느냐?"

"죄송합니다만, 아버님께서 이렇게까지 화를 내시는 이유를 전혀 모르겠어요."

"내가 듣기로는 화평장의 맏형이 담우천, 담 대협이라고 알고 있다. 그리고 그다음이 강 대협이고. 맞느냐?"

"네, 맞아요."

"그리고 네 남편은 장 소협과 함께 다섯 의형제 중 막

내, 그러면 나이에 상관없이 모든 형제의 부인들이 네 언니가 되는 것이다. 맞느냐?"

"네, 맞아요. 아…… 그것 때문에 그러시는 거네요."

고개를 끄덕이며 말하던 당혜혜는 뒤늦게 자신의 부친이 무얼 가지고 나무라는지 알아차렸다.

그건 예예도 마찬가지였다. 비로소 당운소가 화를 내는 이유를 알게 된 예예가 깜짝 놀라며 입을 열었다.

"그건 저 때문이에요."

"언니."

"아니, 가만있어요."

그녀는 당혜혜의 입을 막으며 서둘러 말했다.

"애당초 혜혜 언니는 처음부터 제게 하대해 달라고 하셨어요. 하지만 혜혜 언니에게 말을 놓으면 다시 소흔 언니에게도 말을 놓을 수밖에 없어요."

구석 자리에 앉아 있던 정소흔의 얼굴이 살짝 붉어졌다. 정소흔은 세 여인 중에서 가장 언니인 동시에 심지어는 남편인 화군악보다도 서너 살 나이가 많았다.

"그래서 우리끼리 이야기를 해서 결론을 내렸죠. 여자들은 남편이 아닌, 여자들끼리의 서열에 따라서 호칭을 정하자고 말이에요."

"허어, 그건 있을 수가 없는 일이오."

당운소가 냉엄한 표정을 지으며 예예의 말을 잘랐다.

그리고는 다시 당혜혜를 보며 나무랐다.

"설령 그런 일이 있다손 치더라도 너는 끝까지 반대하고 설득했어야 하는 게 아니더냐? 나이가 많고 적음에 관계없이 그 정해진 서열에 따라 형이 되고 동생이 되는 게 본문의 관습이 아니더냐? 그걸 보고 자라 온 네가⋯⋯."

"그건 아니라고 생각합니다, 사돈 어르신."

이번에는 예예가 당운소의 말을 잘랐다. 어찌 보면 대단히 무례하고 당돌한 행동이었지만 예예는 거침없이 또박또박 말을 이어 나갔다.

"당문에서 전해 내려오는 당문만의 관습과 예의와 규범이 있다면, 우리 화평장만의 관습과 예의범절, 규범이 있습니다. 화평장으로 시집을 온 이상, 혜혜 언니는 당문이 아닌 화평장의 사람이 된 것이고, 즉 다시 말씀드려서 당문의 것이 아닌 화평장의 관습과 예의범절, 규범을 따르는 게 옳다고 생각합니다."

당운소는 살짝 당황한 듯 아무 말도 하지 못했다.

사실 사천당문에는 출가외인(出嫁外人)이라는 말이 존재하지 않았다. 외려 사위의 성(姓)까지 당씨(唐氏)로 바꾸고 데릴사위처럼 당가보 내에서 살아야 하는 게 그들만의 독특한 규율이었다.

당운소는 마른침을 삼키며 입을 열었다.

"그러나 관례를 따지면……."

그때였다.

"허허, 강 부인 말씀이 옳소."

놀랍게도 가주 당운학이 웃으며 그렇게 말했다. 당운소는 물론 대청의 사람들이 일제히 그를 돌아보았다. 당운학은 여전히 미소를 머금은 채 말을 이어 나갔다.

"사실 관례를 따지자면 애당초 혜혜가 당가보를 떠나 있는 것도, 혜혜의 남편인 장 소협이 여전히 장씨 성을 쓰는 것도 다 잘못이고 고쳐야 할 일들이오. 하지만 이미 관례를 벗어나서 살아가고 있는 만큼, 그들에게 관례를 지키라고 할 수가 없을 것이오."

빙혼마고가 미소를 지으며 말을 받았다.

"참으로 현명하신 판단이네요. 역시 사천당문의 가주다운 말씀이십니다."

"과찬이십니다."

당운학은 그녀를 향해 살짝 고개를 숙인 다음, 다시 당운소를 바라보며 말했다.

"그러니 사돈댁의 호칭은 우리가 관여할 바는 아니라고 생각하는데, 어떻소?"

당운소는 고개를 숙이며 대답했다.

"가주께서 그리 말씀하시는데 저도 더 이상 관여하지 않겠습니다."

"좋소. 그럼 그 문제는 해결된 것 같고.……. 참, 중독된 환자의 상태는 어떻소, 독종주?"

당운학의 질문이 독종주 당운보에게로 향했다. 당운보도 정중하게 대답했다.

"현재로서는 독선으로 가는 과정을 밟는 게 가장 나을 것 같습니다만, 강 부인께서는 환자 본인의 선택을 따르겠다고 말씀하셨습니다."

"흠, 그럼 환자가 깨어날 때까지 기다려야겠구려."

"공교롭게도 가주께서 오시기 직전, 환자가 깨어났다는 보고를 전해 들었습니다."

"그래요? 그럼 얼른 가 봐야죠."

"알겠습니다."

당운학의 말에 당운보가 자리에서 일어났다.

예예와 당혜혜도 반사적으로 벌떡 일어섰다가 그만 얼굴을 새빨갛게 물들이고 말았다. 아무래도 예의가 아니라는 생각이 뒤늦게 그녀들을 부끄럽고 곤혹스럽게 만든 것이다.

하지만 당운학은 너털웃음을 흘리며 말했다.

"허허. 당연히 궁금할 터, 어서 가 보세요."

예예와 당혜혜가 허리를 숙이며 말했다.

"무례를 용서해 주셔서 감사합니다."

정중하게 사과를 한 그녀들은 곧 당운보를 따라 대청을

빠져나갔다.

2. 석정

"수상해."

"그렇죠? 정말 수상해요."

"도대체 무슨 대화를 나눴기에 가주께서 저리도 밝게 웃느냐는 말이지. 평소의 가주를 생각한다면 절대 상상할 수 없는 일이야."

"안 그래도 제가 당가보를 떠난 이후로 가주의 성격이 많이 달라지셨나 했거든요. 그런데 당 사숙의 말씀을 들어 보면 예전과 별반 다를 바가 없는 것 같은데……. 그렇다면 확실히 수상해요. 분명 마고와 뭔가 이야기가 오간 모양이에요."

"마고? 빙혼마고?"

"네. 저리도 점잖게 이야기하실 분이 아니거든요. 그리고 가주와 대화를 나눌 때 그 눈웃음 보셨죠? 분명 뭔가 있어요."

"흠, 그것참 알다가도 모를 일이군그래."

당운보는 고개를 설레설레 흔들었다.

대청을 나선 후 회랑을 따라 구명소로 향하면서 당운보

와 당혜혜는 가주 당운학에 대해 이야기를 나누고 있었다.

가주는 사천당문의 얼굴이었다. 그의 말 한마디가 사천당문의 품격을 보여 주고 그의 행동 하나하나가 사천당문의 위엄을 나타냈다.

그런 까닭에 가주는 언제나 진중하고 근엄한 표정을 지었다. 쉽게 웃지도 않았으며 서둘러 뛰지도 않았다. 그게 사천당문의 가주였다.

거기에다가 수년 전, 아들 당현종이 경천회(驚天會)의 고수들로 짐작되는 자들에 의해 살해당한 이후 당운학은 더 이상 웃지 않았다.

그는 오로지 당문의 중흥(中興)을 위해서, 〈사천당문(四川唐門) 천하제일가(天下第一家)〉라는 필생의 숙원을 완성하기 위해서 일로매진(一路邁進)했다.

과거에는 독종주만 참가하던 독문회합에 가주가 직접 참여하여 묘강독문과의 상호 교류와 협력을 통해 우의(友誼)를 증진했다.

또한 벽력문(霹靂門)이나 강시당(殭屍堂), 모산파(茅山派) 등 고유의 특징적인 절기를 지녔으나 강호무림에서는 비주류가 되어 소외받는 문파들과 연락을 취하고 관계를 개선하는 등 그 교류의 범위를 확대해 나갔다.

그렇게 오직 사천당문의 이익과 미래만을 생각하고 움직이던 당운학이 사람들 앞에서 편안한 모습으로 활짝 웃는 건 아들이 죽은 이후 이날이 처음이었다. 그러니 당운보나 당혜혜가 의아해하고 수상하게 생각하는 건 너무나도 당연한 일이었다.

반면 예예는 오직 석정 생각뿐이었다.

우여곡절 끝에 화평장에 도착해서 몇 마디 나눈 이후 죽은 듯이 잠들었다가 거의 한 달 가까이 되어서 다시 정신을 차린 것이다.

예예는 한달음에 달려가서 그에게 괜찮다고, 분명히 예전 모습을 되찾을 수 있다고, 걱정 말라고 말해 주고 싶었다. 설령 그게 거짓말이라 할지라도 말이다.

구명소 앞에는 독종가 사람 몇몇이 나와 있다가 당운보들을 보고는 다급하게 말했다.

"얼른 들어가 보십시오. 금방이라도 다시 정신을 잃을 것 같은 상태입니다."

"그러냐? 알겠다."

당운보는 서둘러 구명소로 향했다. 그 뒤를 따라 예예와 당혜혜가 들어섰다.

병상에는 전신을 붕대로 칭칭 동여맨 석정이 누워 있었다. 새하얀 삼베 천은 고름과 진물로 인해 금세 누렇게 물들고 있었다. 세 명의 독종가 사람들이 그에게 달라붙어서 연신 흘러나오는 고름을 닦았다.

예예의 눈가에 눈물이 글썽거렸다. 당혜혜가 그녀의

손을 꼭 쥐었다. 예예는 헛기침을 하며 애써 눈물을 감췄다. 그리고는 활짝 웃는 낯으로 석정에게 다가가며 말했다.

"드디어 깨어나셨네요."

붕대 사이로 드러난 두 눈동자가 이리저리 구르다가 예예를 보고는 그대로 고정되었다. 웃는 것일까, 눈매가 살짝 아래로 휘어졌다.

"혀, 형수."

여전히 어눌하고 더듬거리는 말투. 그 힘없고 희미한 목소리에 예예는 다시 한번 울컥하며 눈물을 쏟을 뻔했다. 하지만 그녀는 더욱 쾌활한 목소리로 말했다.

"알아보시네요. 그래요. 형수예요, 도련님."

예예는 처음으로 석정에게 '도련님'이라는 호칭을 사용했다. 석정의 눈빛이 살짝 흔들린 건 바로 그 이유에서였다. 그의 시선 안으로 당혜혜의 얼굴이 들어왔다.

"기분은 어때요, 괜찮아요?"

"제, 제수씨……."

석정은 당혜혜도 알아본 듯 더듬거리며 말했다. 당혜혜도 웃는 낯으로 말했다.

"네, 아주버님."

석정은 잠시 그 두 명의 여인을 쳐다보다가 궁금하다는 듯이 물었다.

"그런데 무, 무슨…… 일이죠? 왜 내가…… 자는 방에 두 분이 오셔서……."

예예는 또 다시 울컥했다.

아무래도 석정은 그간 무슨 일이 있었는지 기억하지 못하고 있는 듯했다. 어쩌면 황계에서 폐관 수련을 받기 이전의 기억만 남은 것인지도 몰랐다.

"오랫동안 잠들어 있었기 때문에 기억에 혼동이 왔을 수도 있소. 아니면 중독의 영향으로 인해 기억이 퇴행(退行)하고 있는 것일 수도……."

당운보가 나지막한 목소리로 설명했다.

낯선 목소리가 들리자 석정이 힘겹게 고개를 돌려 그를 쳐다보더니 눈을 크게 뜨며 물었다.

"이분은……?"

예예가 몰래 눈물을 훔치며 말했다.

"사천당문의 독종주 당 사숙이세요."

"사, 사천당문의 도, 독종주? 그, 그분이 왜 나를……."

"기억나지 않으세요? 황계에서 폐관 수련을 했던 기억이 전혀 없으세요?"

"화, 황계? 폐…… 폐관 수련……."

석정의 눈이 황소처럼 끔뻑거렸다. 뒤늦게 그의 눈빛이 흔들리고 동공이 떨리기 시작했다. 그의 전신이 부들부들 떨렸다. 허리가 튀고 고개가 뒤로 꺾였다.

"잡아! 움직이지 못하도록 잡아!"

당운보가 빠르게 지시를 내렸다. 독종가 사람들이 얼른 팔과 다리 가슴과 목을 잡았다. 석정의 경련은 그들이 두 손으로 힘을 꽉 줘야 할 정도로 거셌다.

"기억이 돌아오면서 정신적 충격이 일어난 모양이오. 하지만 조금 지나면 괜찮아질 것이오."

당운보는 침착하게 설명했다.

예예가 내심 안도의 한숨을 쉬면서 손을 뻗어 석정의 손을 잡았다. 그리고는 부드럽고 조용한 목소리로 말했다.

"괜찮아요, 도련님. 우리가 곁에 있어요."

마치 그 목소리를 듣기라도 한 듯 석정의 경련이 가라앉았다. 석정은 눈을 감았다. 거친 호흡이 그의 입을 통해서 흘러나왔다.

"그, 그래요. 기억이 나요. 무슨 일이 있었는지……. 그리고 내가 어떻게 화평장으로…… 돌아왔는지…….."

중얼거리듯 말하던 석정은 다시 눈을 뜨고는 주위를 둘러보며 말을 이었다.

"그런데 이곳은…… 이 사람들은…….."

예예가 다정하게 말했다.

"이곳은 사천당문이고, 이분들은 당문 독종가 사람들이에요. 도련님의 중독을 치료하기 위해서 우리가 이곳으로 모셔온 거랍니다."

"그, 그래요? 그럼…… 치료는……."

"아직 시작 안 했어요. 오늘 막 도착했거든요. 하지만 걱정하지 않으셔도 돼요. 반드시 완쾌……."

말을 하던 예예는 입술을 깨물며 울음을 삼켰다. 그녀는 결국 말을 잇지 못한 채 한 걸음 뒤로 물러났다. 당운보가 한숨을 쉬고는 차분하고 진지한 목소리로 말했다.

"솔직히 말씀드리겠소. 석 소협을 이전의 평범한 사람으로 되돌리는 건 불가능한 일이오."

석정은 다시 눈을 감았다. 그 위로 당운보의 목소리가 흘러내렸다.

"방법은 오직 한 가지뿐이오. 석 소협에게 보다 강력한 독을 투입해서 기존의 중독 현상을 지워 내고 새로운 독성을 심어야 하오. 그런 식으로 계속해서, 부작용이 없도록 조치하면서 점점 투여하는 독성을 높이게 되오. 그리하여 이윽고 그 어떤 독에도 반응하지 않는 몸을 만들게 되면 그게 곧 만독불침(萬毒不侵), 이른바 독선의 경지에 다다랐다 할 수 있겠소."

예서 말하는 독선(毒仙)은 곧 독존(毒尊), 독왕(毒王), 독신(毒神) 등과 다를 바가 없는 말이었다.

단전에 독기를 갈무리하여 체외(體外)로 독기가 흘러나가지 않도록 자유자재로 운용할 수 있는 경지. 또한 거의 모든 독의 영향을 받지 않고 단전의 독을 내공으로 활용하여 마음대로 독공(毒功)을 펼칠 수 있는 경지.

바로 그것이 독선이라는 칭호로 귀결되는 경지라 할 수 있었다.

당운보는 잠시 말을 끊었다가 예예와 당혜혜의 안색을 살핀 다음 다시 말을 이어 나갔다.

"하지만 그렇게 될 확률은 매우 적소. 어쩌면 지옥의 업화 속에서 겪는 고통보다 더한 고통을 겪다가 죽을지도 모르오. 또 어쩌면 나와 두 분 부인을 증오하고 저주하게 될지도 모르오. 그럼에도 불구하고 석 소협이 원한다면…… 본 당문은 모든 걸 아끼지 않고 귀하에게 쏟아부을 것이오."

당운보의 이야기가 끝났다.

두 눈을 감고 가만히 듣고 있던 석정이 천천히 눈을 떴다. 조금 전과는 달리 그의 눈동자는 반짝이고 있었다. 더 이상의 혼란과 갈등의 빛은 사라지고 없었다.

"형수……."

석정이 입을 열었다.

"네, 도련님."

예예가 고개를 끄덕이며 말했다.

"내가 형수, 조…… 좋아했던 거 아시죠?"

석정의 말에 예예가 희미하게 웃었다.

불과 사오 년 전의 일이지만 마치 까마득하게 오래된 옛일처럼 기억되는 순간들이 그녀의 뇌리에 주마등처럼 떠올랐다가 사라졌다.

예예는 잔잔하게 웃으며 말했다.

"물론이죠. 잘 알고 있죠."

"하, 하지만…… 그것보다 내가 대장을 더 좋아해서…… 양보한 것도 아시죠?"

"물론이에요. 제가 질투 날 만큼 두 분 사이가 좋은 것도 잘 알죠."

"그죠?"

석정이 웃는 듯했다. 예예도 따라 웃었다.

가만히 예예를 쳐다보던 석정은 시선을 돌려 당운보를 쳐다보고는 애써 힘줘 말했다.

"죽더라도…… 원망 같은 거 안 합니다, 저는."

당운보는 뭐라 말하려다가 그만 입을 다물고 고개만 끄덕거렸다.

석정이 말했다.

"잘 부, 부탁드립니다."

당운보가 한숨처럼 말을 받았다.

"최선을 다하겠소."

3. 대사형(大師兄)

예를 들자면, 처음에는 꿀벌의 독침처럼 약한 독을 투입하고 반응을 본다. 독성이 과하다 싶으면 해독약을 먹여 가면서 점점 체내에 내성(耐性)이 쌓이게 만든다.

더 이상 꿀벌의 독이 듣지 않게 되면 그보다 높은 독성을 지닌, 두꺼비 독이나 말벌의 독 등을 사용해서 더욱 내성을 강화한다.

만약 부작용이 생길 시에는 미리 준비한 해독약을 복용시키고, 내성이 쌓이면 또 한 단계 높은 독을 투입한다.

그렇게 단계를 높여 가면서 점점 강력한 독을 투입하고 그 내성이 쌓이기를 반복하는 것.

이게 독인, 독선으로 가는 과정의 일환이다.

하지만 아무리 해독약이 있다고 해도, 아무리 내성이 강해진다 하더라도 사람의 몸이라는 건 한계가 있는 법.

그 한계를 넘어서는 순간, 마치 보가 터지고 둑이 무너지듯 제어되던 모든 독성이 터져 나와 몸 전체로 퍼진다. 그게 지금 석정의 상황이었다.

또 사천당문이 지금껏 매번 실패한 원인도 그러한 연유(緣由)에 있었으며, 이번에도 당연히 실패할 게 분명했다.

그러나 독종주 당운보의 생각은 조금 달랐다.

우선 석정을 중독시킨 황계의 방식은 지금껏 사천당문이 연구해서 실행하던 방법과 전혀 달랐다.

황계 또한 나름대로의 연구와 많은 실험을 통해서 자신들만의 독특한 방식으로 여기까지 발전시켜 왔던 것이다.

당운보는 석정을 진찰하면서 황계의 방식 중에서 버려야 할 것과 취해야 할 부분을 나눴다.

그리고 그 취해야 할 부분과 사천당문의 방식 중에서 보다 효과가 뛰어난 부분을 따로 합치거나 조화를 이루게 만든다면…… 어쩌면 지금과는 전혀 다른 방식으로 상황이 전개될 수 있을지 모른다고 생각했던 것이다.

그건 확실히 전인미답의 일이었고, 전인미답이라는 건 한 걸음씩 내딛는 앞길에 무엇이 있는지 아무도 알지 못한다는 의미이기도 했다.

'그 길 한복판에 독선이라는 두 글자가 떡하니 버티고 있으면 좋으련만. 그러면 가주의 평생 숙원이 보다 빨리 이뤄질 수도 있을 텐데.'

그리 생각하면서 새로운 방식으로 독물을 배합하던 당운소의 얼굴이 살짝 붉어졌다.

'참 별걸 다 신경 쓰신다니까, 가주는.'

가주의 숙원을 떠올리는 순간 가주의 얼굴이 떠올랐고, 가주의 얼굴을 떠올리니 어젯밤 가주와 함께한 만찬

자리에서 그와 단둘이 나눴던 이야기가 생각났던 게다.

"이제 자리 잡아야지?"

"네?"

"슬슬 가정을 가지라는 것일세."

"하하, 그건 뭐…… 아직 생각이 없습니다."

"흠, 뭐 없다가도 있을 수가 있는 게 생각이라는 거니까."

"아니, 그건 또 무슨 희한한 말씀이십니까? 아닌 게 아니라 독문회합에 다녀오신 후부터 뭔가 수상쩍어지셨습니다. 뭔가 하실 말씀이 있으시면 딱 부러지게 하시는 게 좋지 않을까 싶습니다만."

"그래? 그렇게까지 말한다면야…… 자네를 마음에 두는 여인이 있다네."

"네? 저를요? 하지만 그건 늘 있던 일이잖습니까?"

"이번에는 그 여인이 조금 특별한 신분이라는 게 다르지."

"특별한 신분이요?"

"그래. 아, 마침 그녀가 우리를 보고 있구먼."

"네? 서, 설마…… 빙혼마고를 말씀하시는 겁니까?"

"허허허. 자네도 당황하는군그래."

"아니, 가주……."

"처음 그녀에게 이야기를 들었을 때 나도 얼마나 당황을 했는지 모른다네. 여하튼 잘해 보게."

"아, 아니, 그게 무슨 말씀이신지요? 그리 말씀하시고 자리를 일어나시면 저는 어떡하라고…….."

물론 그날도, 그날 이후로도 빙혼마고가 당운보를 향해 특별하게 행동을 취하거나 말을 건넨 적은 없었다. 그저 서로 눈이 마주칠 때마다 싱긋 웃어 주는 게 전부였다.

하지만 당운학의 언질 때문이었을까. 외려 당운보가 그녀의 행동 하나하나, 말 하나하나에 신경이 쓰여 어쩔 줄을 몰라 했다.

지금 당운보의 얼굴이 붉어진 것 역시 바로 빙혼마고의 그 아름답고 요염한 얼굴과 풍만하면서도 육감적인 몸매를 떠올렸기 때문이었다.

"정말 쓸데없는 이야기를 하시는 바람에…….."

당운보는 고개를 휘휘 내저으며 가주 당운학을 탓했다. 그리고는 다시 정신을 집중하여 독물을 배합하기 시작했다.

＊　　＊　　＊

그렇게 당운보가 독종가의 창고에 처박힌 지 사흘째 되는 날, 예예 일행은 원하던 환빈야연과 절정단심사 등 사천당문의 암기와 절독을 구할 수 있게 되었다.

짐들을 마차에 안전하게 실은 후 사람들이 대청에 모였을 때, 야래향이 당운학을 향해 정중하게 인사했다.

"너무 폐를 끼친 것 같아서 죄송하네요."

"별말씀을요."

당운학은 담담한 얼굴로 말했다.

"외려 기다리게 해서 죄송합니다."

대청에는 당운학과 야래향 이외에도 당운소를 비롯한 여러 당숙(唐叔)들과 예예와 당혜혜 일행들이 함께 자리하고 있었다.

당운학은 사람들에게 차를 권한 후 다시 입을 열었다.

"사실 본문이라고 해서 모든 암기와 절독들이 상시 비축되어 있지는 않습니다. 비축분이 떨어지거나 이번 경우처럼 특별히 필요한 경우가 생길 때마다 한꺼번에 넉넉히 제조합니다."

당운학의 말에 야래향이 알겠다는 듯이 고개를 끄덕이며 입을 열었다.

"하기야 기껏 대량으로 제조했는데 습기나 온도 등 주변 상황의 변화로 인해 사용하지 못할 경우도 생길 테니까요."

"그렇습니다. 특히 폭발물 같은 경우는 더더욱 그 취급에 대해서 주의해야 하니까요."

"폭발물도 다루나요, 당문에서?"

빙혼마고가 불쑥 물었다.

"물론입니다."

당운학은 찻잔을 내려놓으며 말했다.

사천당문이 다루지 않는 물건은 없었다. 암기나 약, 독극물은 물론이거니와 폭발물도 그들의 제조 범위 안에 있었다. 당운학이 군이 벽력문을 찾아 관계를 맺고 인맥을 쌓은 것도 그 폭발물과 연관이 없지 않았다.

"예를 들자면 주먹만 한 구슬 안에 수천 개의 우모침(牛毛針)과 환빈야연을 넣은 다음 밀봉시키는 겁니다. 그래서 구슬을 던지면 그 충격에 폭발하게 되고, 우모침과 환빈야연이 사방으로 퍼지게 됩니다."

듣고 있던 여인들은 저도 모르게 몸을 부르르 떨었다. 상상만 해도 끔찍한 광경이 그려졌던 것이다.

"그런 식이라면 수비에 특화된 환빈야연도 공격에 사용할 수 있게 됩니다. 또 그 폭발력에 따라 우모침이나 환빈야연이 사방으로 퍼지는 반경이 달라지겠죠."

거기까지 말한 당운학은 여인들의 표정을 보고는 부드럽게 미소지으며 말을 덧붙였다.

"아, 이건 어디까지나 예에 불과합니다. 아직 그 정도로 정교한 구슬은 만들지 못하니까요. 또한 좀 더 정밀한 화약 배분도 필요하고요."

당운학의 이야기를 듣던 예예의 표정이 살짝 변했다.

'그럼 언젠가는 만들 수가 있다는 말이네. 또 그런 계획을 가지고 있는 거고…….'

예예는 슬쩍 당운학의 눈치를 살피며 생각했다.

'어쩌면 우리가 생각했던 것보다 훨씬 더 높고 먼 곳을 바라보고 있는지도…….'

그때였다.

"참, 다섯 형제분 중에 어느 분이 가장 큰형이라 하셨죠?"

당운학의 갑작스러운 질문이 예예에게로 향했다. 예예는 움찔 놀라며 되물었다.

"네?"

"화평장의 다섯 형제분 말이오. 그중에서 대형(大兄)이 어느 분인가 해서요."

"아, 네."

예예는 '담우천'의 이름을 입에 올리려다가 문득 무슨 생각이 들었는지 저도 모르게 피식 웃었다.

당운학이 고개를 갸웃거렸다. 당숙들이 눈살을 찌푸렸다. 아무래도 예의가 이닌 것이다.

예예는 아차 싶어서 얼른 입을 열었다.

"실은 우리에게 대사형(大師兄)이 한 분 계시거든요."

"대사형이요? 다섯 형제들 말고요?"

"네. 워낙 비밀리에 활동하시는 분이라 제 입으로 말씀

드리기가 어렵습니다만, 어쨌든 그분이 가장 큰형이라고
할 수 있겠네요."

　그녀의 말에 당혜혜와 정소흔, 나찰염요는 서로를 돌아
보았다.

　'그런 분이 계셨어?'

　'글쎄요. 저도 처음 듣는 이야기라.'

　그녀들의 얼굴에는 하나같이 그런 표정이 떠올라 있었
다.

8장.
명분(名分)과 책임(責任)

대부분의 포쾌와 포두들은
국법을 넘어서는 무력과 위엄, 세력을 가진 자들 앞에서
결국 좌절하거나 포기하거나 혹은 외면하거나 아예 동조하기도 한다.

명분(名分)과 책임(責任)

1. 싸울 명분

당혜혜가 언급한 대사형이라는 인물은 다름 아닌 당금 황태자, 차기 황제로 공인된 주완룡이었다.

작년 주완룡이 몇몇 심복들과 함께 궁궐을 나와 잠행(潛行), 성도부 화평장에 들른 적이 있었다. 당시 주완룡은 일반 백성들을 대함에 전혀 거리낌이 없었고 외려 먼저 호칭을 정해 형, 아우로 칭했다.

그때 주완룡은 예예에게 제수씨라고 부르며 살갑게 굴었는데, 반면 예예는 주완룡을 차마 아주버님이라고 부를 수가 없었다.

그렇게 곤혹스럽고 당황했던 순간이었지만, 시간이 흐

르고 지금에 와서는 나름대로 제법 괜찮은 추억으로 변모했다. 그래서 예예는 당운학의 질문에 불쑥 주완룡이 떠올랐고 저도 모르게 농담 삼아 그를 언급했던 것이다.

물론 그녀가 뒤늦게 아차, 했던 건 너무나도 당연한 일이었다.

황태자 주완룡은 농담으로도 입에 올릴 분이 아니었으며 무엇보다 이 자리에는 전혀 어울리지도 않은 농담이었기 때문이었다.

'바보 같으니라고. 명색이 화평장을 대표한다는 사람이 당문의 가주가 계시는 자리에서 함부로 입을 놀리기는.'

그녀는 내심 식은땀을 흘리면서 황급히 화제를 돌렸다.

"그나저나 잔뜩 폐만 끼치고 가는 것 같아 그저 죄송할 따름입니다. 하지만 이왕 끼치는 폐, 부끄럽지만 구명소의 환자를 잘 부탁드리겠습니다."

그녀는 정중하게 고개를 숙이며 말했다. 일순 장내의 분위기가 살짝 엄숙해졌다.

"허허, 폐라고 하지 마시오. 이미 화평장분들과는 사돈지간이 아니오? 그저 한 가족, 같은 식구이니 편하게 생각하시기 바라오."

당운학은 점잖게 말했다.

"아울러 그 석 소협은 우리가 최선의 노력을 경주할 것

이오. 비록 그 결과에 대해서는 장담할 수 없으나, 그간 본
문이 노력하고 연구한 모든 성과를 쏟아부을 작정이오."

"다시 한번 감사드립니다."

예예가 고개를 숙이며 말하자 야래향을 위시하여 다른
여인들도 일제히 고개를 숙였다.

"허허, 너무 그렇게 깍듯하게 예를 갖출 필요가 없소.
자꾸 이러시면 우리가 난처해지오. 그렇지 않소?"

당운학이 당운소를 돌아보며 동의를 구했다. 당운소도
고개를 숙이며 말했다.

"그렇습니다. 너무 예를 차리시면 마치 남처럼 느껴져
서 섭섭합니다."

"호호, 사실 그건 그렇죠."

빙혼마고가 웃으며 입을 열었다. 야래향이 눈을 흘겼지
만, 그녀는 아랑곳하지 않고 말을 이어 나갔다.

"사실 사돈이야 어찌 생각하면 남이라고도 할 수 있겠
지만 겹사돈이 되면 말 그대로 가족이니까요. 가족끼리
는 내외하는 게 아니죠."

겹사돈이라는 건 사돈끼리 다시 혼인을 하여 사돈 관계
가 중복되는 걸 말한다. 예를 들자면 장남의 처제와 차남
이 혼인을 하거나, 신랑의 고모와 신부의 삼촌이 혼인하
는 걸 말한다.

이 시대에는 겹사돈이 성행하였는데 그 이유로는 크게

세 가지 정도가 있었다.

하나는 양가 어르신의 친분이 두터워서 더욱 그 관계를 돈독하게 하려는 방법으로 사용되었고, 다른 하나는 혼인의 비용을 절약하기 위해서 겹사돈을 하기도 했으며, 마지막으로는 며느리 혹은 사위가 마음에 든 나머지 다른 며느리 혹은 사위도 얻고 싶어서 겹사돈을 하기도 했다.

빙혼마고의 경우는 조금 달랐다.

당 사숙, 당운보를 본 그녀는 그 잘생긴 외모와 훤칠한 풍채, 그리고 무엇보다 넉넉해 보이는 미소에 반했다.

그래서 가주 당운학을 만나는 자리에서 반은 농 삼아, 반은 진심을 담아서 "내가 당 사숙과 혼인하여 겹사돈이 되면 양가 사람들의 관계가 더욱 돈독해지겠네요."라는 식으로 말을 건넸다.

놀랍게도 당운학이 그녀의 말을 진심으로 받아들였고, 또 더할 나위 없이 기뻐하며 수락했다.

"안 그래도 그냥 이대로 가만히 놔두면 노총각으로 늙어 죽는 꼴을 볼 것 같았습니다. 마고께서 그를 구원해 주신다면 그야말로 우리가 기뻐할 일이지요."

당운학의 말에 당시 그 자리에 있었던 당가 명숙들의 눈이 휘둥그레진 건 두말할 나위가 없었다.

아무리 빙혼마고가 아름답고 요염하다 할지라도 어디

까지나 그녀는 사마외도의 거물, 공적십이마 중의 한 명이 아니던가.

그녀를 당가 사람으로 맞이하겠다는 건 오대가문, 태극천맹, 아니 더 나아가서는 강호무림의 모든 백도정파 사람들과 척을 지겠다는 것과 다름이 아니었다.

빙혼마고 일행이 떠난 후, 당가 수뇌부들만 남은 자리에서 몇몇 당숙들이 그런 우려를 내비치자 당운학은 단호하게 고개를 저으며 이렇게 말했다.

"마고는 이미 우리 사위의 사부요. 그녀를 받아들이지 못하겠다는 건 곧 우리 사위를 받아들일 수 없다는 뜻이 되오. 무엇보다……."

그는 확고한 의지가 담긴 시선으로 좌중을 둘러보며 말을 이어 나갔다.

"단지 출신 성분과 태생의 차이만으로 피아(彼我)가 나뉘고 상호불립(相互不立)하는 건 이미 구시대적인 유물에 불과하다고 생각하오. 무엇보다 정사대전이 끝난 지도 벌써 이십여 년이 지나지 않았소?"

당가의 명숙들은 잠자코 생각하다가 다시 누군가 주저하며 입을 열었다.

"그렇기는 하지만 빙혼마고는 역시……."

"역시 뭐요?"

"아무래도 지난날 수많은 무림의 사내들을 유혹하여

색(色)의 포로로 만든 다음 그 정기를 흡수하고 내공을 빨아들였다는 게 영 마음에 걸립니다."

"그걸 직접 보거나 겪은 적이 있소?"

"네? 아니, 그야 그건 무림인이라면 누구나 아는 이야기가 아닙니까?"

"글쎄요. 만약 그렇게 흡정술(吸精術)이나 채양보음(採陽補陰)의 술법을 사용한 사람치고는 그녀의 내공이 너무 형편없다고 생각되지 않소?"

"오래전에 내공을 잃었다고 했으니 그럴 수밖에 없지 않겠습니까?"

"흠, 이상하구려. 내공을 잃었으면 다시 흡정술과 채양보음을 통해서 내공을 끌어모으면 되지 않겠소?"

"그, 그건……."

"즉, 최소한 내공을 잃은 이후에는 단 한 번도 흡정술이나 채양보음술을 펼친 적이 없다는 이야기인데…… 어찌 생각하시오?"

"그, 그럴 것 같습니다."

"그럼 적어도 이십 년 가까이 뭇 사내들을 멀리했다는 의미. 그 정도라면 과거의 일이 설령 사실이라 할지라도 이미 지워도 될 흔적에 불과할 것 같은데 그건 또 어찌 생각하시오?"

"그, 그건 조금……."

"뭐, 여러 형제들을 끝까지 설득할 생각은 없소. 어차피 그녀는 한동안 이곳에 머물면서 그 석정이라는 환자의 치료 과정을 지켜보기로 했으니 그동안 여러 형제들도 함께 그녀를 지켜보면 알게 되지 않겠소? 과연 우리 넷째의 배필로 어울릴지 아닐지 말이오."

"으음, 지금 당장 결정하는 게 아니라 끝까지 지켜보고 그 이후에 결정한다면 저도 찬성하겠습니다."

"저도 동의하겠습니다."

"허허, 여러 형제들의 의견이 중요한 게 아니라니까 계속 그러시오? 중요한 건 당사자들, 그러니까 마고와 넷째의 생각이오. 그저 나는 두 사람의 연(緣)이 닿을 수 있도록 다리를 놔 주려는 것뿐이니까."

"한 가지만 여쭙겠습니다, 가주."

"말씀해 보시오."

"가주께서는 진실로 저 빙혼마고나 야래향을 믿고 계시는지요?"

그렇게 묻는 이는 다름아닌 당 칠숙, 당혜혜의 부친인 당운소였다. 당가의 명숙들이 일제히 그와 당운학의 얼굴을 번갈아 바라보았다.

당운학은 천천히 고개를 끄덕였다.

"믿소. 다름 아닌 일곱째의 사돈어른이시니까."

그렇게 말하는 당운학의 입가에 잔잔한 미소가 스며들

었다. 당운소가 고개를 숙이며 말했다.

"감사합니다, 가주."

"내일이면 또 작별이네요."

"응?"

며칠 전 밤늦은 연회 자리에서의 기억을 떠올리던 당운소는 움찔거리며 정신을 차렸다. 당 부인이 눈물을 글썽이며 계속해서 말을 이어 나갔다.

"마음 같아서는 당장이라도 사위와 함께 당가보로 들어와 살라고 하고 싶은데…….'"

당운소는 제 아내의 어깨를 다독이며 말했다.

"그쪽 상황이 끝나면 이곳으로 돌아와 살겠다고 하지 않았소? 그러니 조금 더 참고 기다립시다."

"하지만 상대는 오대가문이잖아요? 그들과 싸우다가 행여 큰일이라도 나면…….'"

"허허, 너무 걱정하지 마시오. 안 그래도 본가 차원에서 최대한 후원해 주기로 했으니 말이오. 사실 지금 당장에야 오대가문과 싸울 명분이 없어서 움직이지 않을 뿐이지, 만약 저들 중 누군가가 경천회와 연관이 있다는 증거라도 나온다면…… 그때는 우리는 물론 구파일방과 신주오대세가까지 모두 힘을 합쳐서 오대가문과 싸울 것이오."

"진짜 그 경천회가 오대가문과 관련이 있을까요?"

"그렇소. 심증이 가고 정황 증거들도 차고 넘치지만, 아직 결정적인 증거가 발견되지 않았소. 그렇기 때문에 다들 쉽게 움직이지 못하고 있다오."

"그 증거라는 게 얼른 발견됐으면 좋겠네요."

"그래야겠지요."

당운소는 그렇게 말하면서 속으로 중얼거렸다.

'그래야만 가주께서 군림천하(君臨天下) 진일보(進一步)할 명분이 생기니까 말이오.'

* * *

여러 가지 말들이 나왔지만 결국 당가보에는 빙혼마고와 야래향이 남기로 했다. 그녀들은 이곳에서 석정의 치료 과정을 지켜보는 한편, 화평장과 사천당문 간의 연락을 맡을 계획이었다.

사실 빙혼마고는 혼자 남아서 그 역할을 하는 동시에 당운보와 가까워질 생각이었는데 야래향이 끝까지 반대했다. 빙혼마고 홀로 남겼다가 무슨 일을 벌일지 모른다는 게 야래향의 주장이었다.

"좋아. 뭐, 그렇게까지 날 믿지 못하겠다면야 어쩔 도리가 없지."

결국 빙혼마고는 두 손을 들었다.

야래향은 여전히 의심에 가득 찬 눈빛으로 그녀를 바라보며 물었다.

"도대체 무슨 속셈이야? 당 독종주에게 홀딱 빠진 것도 아니면서."

"왜? 홀딱 빠졌거든?"

"내가 널 한두 해 본 것도 아닌데, 최소한 내 앞에서는 거짓말하지 마. 뭔가 다른 속셈이 있잖아? 그래서 이곳에 남으려고 하는 거지?"

야래향의 질문은 날카롭고 집요했다. 빙혼마고는 한숨을 쉬더니 이내 방실방실 웃으며 말했다.

"그래. 속셈이 있다."

"무슨 속셈?"

"나 늘그막에 잘난 남편 하나 얻어 볼까 하는 속셈. 그래서 떡두꺼비 같은 아들 녀석 만들어 볼까 하는 속셈."

"흠."

야래향은 눈매를 가늘게 치켜떴다. 역시 믿을 수가 없었다. 하지만 끝까지 저렇게 잡아떼는 데야 어쩔 도리가 없었다.

"뭐, 나쁜 속셈만 아니면 되겠지."

야래향은 그렇게 결론을 내렸다.

한편 사천당문 측에서는 당혜혜 일행에게 십여 명이나

되는 당가 사람들을 호위로 딸려 보내기로 했다.

"다들 독공과 암기 등의 고수들이오. 능히 일당백(一當百)의 실력을 지녔으니까, 많은 도움이 될 게요."

당운소의 말에 예예는 당연히 거절하려 했다. 하지만 그녀보다 먼저 당혜혜가 입을 열었다.

"감사합니다. 안 그래도 우리가 귀환하는 길이 천자산에서 성도부로 이어지는 길목과 일정 부분 살짝 겹쳐져서 걱정하던 참이었어요."

그녀의 말에 예예도 생각을 바꿨다.

'그렇구나. 무적가의 본산이 천자산에 있다고 했지? 그렇다면 확실히 문제가 생길 여지가 없지는 않으니까.'

야래향과 빙혼마고가 당가보에 남게 된 이상, 싸울 수 있는 전력은 많으면 많을수록 좋았다.

아니, 호가호위(狐假虎威)라고 사천당문의 위세를 빌려 아무런 싸움 없이 무사히 화평장으로 귀환할 수 있다면 그보다 더 좋은 일은 없었다.

"여러모로 신경 써 주셔서 정말 감사드려요."

예예는 그런 식으로 정중하게 말하며 사천당문의 후의(厚意)을 받아들였다.

이윽고 사천당문의 암기와 독물, 명약들이 가득 담긴 사두마차가 당가보를 출발하는 날이 왔다.

당운학과 당운소를 비롯한 당가의 명숙들과 인사를 나

눈 후 예예와 정소흔, 나찰염요와 당혜혜는 마차에 올랐고 양위가 마부석에 앉았다.

야래향과 빙혼마고가 손을 흔들며 말했다.

"아창, 아호들에게 잘 말해 주렴. 할미들이 선물 가지고 갈 때까지 잘 지내고 있으라고."

마차 주변으로는 열두 필의 말을 탄 당가 사람들이 호위처럼 둘러섰다. 십일숙(十一叔) 당운철(唐雲鐵)과 당혜혜의 사촌, 육촌, 팔촌 형제들로 구성된 호위대였다.

그들은 위풍당당하게 당가보를 떠나 당가타 대로를 통해 마을 밖으로 이동했다. 일반적이라면 늦어도 열흘 안에는 성도두 화평장으로 돌아갈 여행길이 시작되었다.

2. 찾을 명분

이십여 명의 장로들.

다섯 명의 구백(九伯).

오십여 명의 당주급 인사들과 사백여 명의 일족(一族).

이십칠경백팔비일천팔십위(二十七卿百八秘一千八十衛) 중 무적가 본산을 지키는 최소한의 인원을 제외한 천오백여 명.

그렇게 해서 무려 무적가 전체 병력이라 할 수 있는 이

천여 명의 무리들이 천자산을 벗어나 성도부로 향한 지 보름, 마침내 그들은 여주(濾州)의 드넓은 평야 지대에 들어섰다.

여주평(濾州平)이라는 정식 명칭보다는 만인평(萬人平)이라는 이름으로 더 알려진 평야.

곳곳의 작은 숲을 제외하면 끝이 보이지 않을 정도로 넓게 펼쳐진 평야, 며칠 전 내린 눈이 채 녹지 않은 채 사위를 뒤덮고 있는 순백색의 은야(銀野).

마차와 수레, 오가는 행인들의 발자국으로 인해 질퍽해진 관도를 제외하고는 이른 아침 햇빛을 받은 모든 것이 새하얗게 반짝이고 있었다.

그 만인평을 가로지르는 관도를 따라서 백여 필의 말들이 미친 듯이 질주했다. 말발굽 울리는 소리가 천지를 진동시켰다.

그나마 이른 아침에다가 요 며칠 강추위로 인해 관도를 오가는 사람이 드물었기에 망정이지, 평소처럼 북적거리는 관도였다면 적어도 수십 명의 행인이 그 광란의 질주에 치어 크게 다쳤을 것이다.

"멈춰라!"

문득 우렁찬 목소리가 관도 주위로 쩌렁쩌렁 울려 퍼졌다.

미친 듯이 달리던 말들이 일제히 속도를 줄이더니, 백

필이 넘는 말 중 단 한 마리도 어긋나지 않고 줄을 맞춰 멈췄다. 그야말로 신기에 가까운 기마술(騎馬術)이었다.

선두에서 말을 타고 있는 노인은 관도 주변을 둘러보았다. 시야가 닿는 곳 모두 새하얀 눈으로 덮여 있는 벌판이었다. 그 중간중간에는 마치 바다에 떠 있는 섬처럼 작은 숲들이 자리를 잡고 있었다.

'좋지 않군.'

노인은 주위를 둘러보며 내심 중얼거렸다.

마주치려면 벌써 몇 번이라도 마주쳤어야 했다. 하지만 이곳까지 오는 동안 결국 그들과 조우하지 못했다. 어쩌면 이미 그들은 몰살당했을 것이다. 그럴 확률이 매우 높았다.

'전서구가 당도한 날짜를 생각하면⋯⋯.'

노인은 관도 한가운데 말을 세운 채 곰곰이 상념에 잠겼다. 그 뒤로 백여 필의 말들이 줄지어 늘어섰으며 또 그 뒤로는 수백, 아니 천오백여 명의 무인이 경공술을 펼치며 줄지어 날아들었다.

노인은 그 장대한 광경을 힐끗 바라보며 생각했다.

'아마 이 만인평 일대를 지나는 와중에 전서구를 보냈을 것이다. 그리고 이곳까지 오는 동안 그들의 흔적을 전혀 찾아볼 수 없었으니⋯⋯.'

아마도 이 만인평 넓은 들판 어딘가에 그들의 마지막

모습이 남아 있을 수도 있었다.

'그렇다고 이 넓은 평야를 다 수색할 수는 없고…….'

노인은 생각에 생각을 거듭했다.

지난날 무적가는 가주와 소가주가 살해당한 이후 혼란에 빠진 가문을 안정시키고 새롭게 진용을 갖추기 위한 적임자로 이 노인, 무적철혼 제갈천상을 지목했다.

이미 강호의 은원에서 벗어나 은거 생활을 즐기고 있던 제갈천상은 제갈충렬의 설득을 이기지 못하고 결국 무적가로 복귀했다.

그 와중에 제갈충렬은 홀로 움직이다가 남녕부에서 실종했고, 그를 찾기 위해 투입된 제갈충인과 제갈충무는 다시 성도부에서 실종했다.

제갈천상은 이 어처구니없는 상황을 해결하기 위해서 오백의 최정예 수색대를 구성하여 제갈보광에게 그 지휘를 맡겼다.

이후 제갈보광은 제갈보령, 제갈보민들과 함께 오백의 최정예 부대를 이끌고 성도부를 기습, 모든 흑도 문파와 하오문을 박살 냈다.

전서구를 통해 거기까지 보고를 받은 제갈천상은 제갈보광이 나름대로 순조롭게 실종 사건을 해결하고 있다고 생각했다.

하지만 사흘 후, 제갈천상은 다급하기 그지없는 전갈을

전해 받아야 했다.

믿을 수 없게도 그 전갈은 성도부의 흑방 중 한 곳과 싸워 큰 피해를 본 상태에서 정체를 알 수 없는 자들에 의해 기습을 당해 결국 패퇴 중이라는, 최대한 빨리 원군이 필요하다는 내용이었다.

제갈천상은 이내 무적가 전체 병력을 이끌고 천자산을 떠나 성도부로 향했다. 행군 도중 행여나 도주하던 제갈보광 무리들과 조우하지 않을까 세세하게 신경 쓰고 주의를 거듭했지만, 결국 이곳까지 오는 동안 그들의 흔적은 전혀 발견한 수가 없었다.

제갈천상이 이 만인평에 들어서자마자 말을 세운 건, 칠 할의 육감에 삼 할의 추론 때문이었다.

'암습자들이 계속해서 뒤를 쫓아오며 한 명 두 명 암살을 시도한다면 과연 어떻게 할까?'

그가 아는 제갈보광이라면 계속해서 무작정 도주하지는 않았을 것이다. 원군을 요청하는 전서구도 보냈으니 두텁게 방어진을 펼쳐 적의 기습을 막으면서 원군이 도착하기를 기다릴 가능성이 높았다.

'전서구가 천자산에 당도한 날짜를 역으로 계산하면…….'

아무리 늦어도 이 만인평을 지나기 전에 전서구를 보냈을 가능성이 컸다. 즉 제갈보광은 저 넓은 평야 어딘가에

방진(防陣)을 구축하고 적을 상대하며 원군을 기다렸을 것이다.

'하지만 그게 아니라면……'

이곳이 아니라 조금 더 앞쪽, 성도부 쪽에서 방어진을 구축하고 지금까지 적과 싸우는 중이라면, 그래서 만에 하나 이곳에서 시간을 축내다가 자칫 제갈보광 무리가 몰살당하는 경우가 생기기라도 한다면…….

그러니 이 드넓은 평야를 수색하기 위해서는 조금 더 명분이 필요했다. 이곳에서 찾아야 할 명분.

'그런 명분 따위가 있을 리가.'

노인, 제갈천상은 눈살을 찌푸렸다.

'명확한 증거가 없는 이상 추론은 여기까지가 한계다. 남은 건 평생을 살면서 갈고 닦은 내 육감뿐.'

제갈천상은 다시 한번 드넓은 평야를 둘러보았다.

내린 눈이 얼어붙어 녹지 않은 상태에서 다시 눈이 내리고 또 그 위로 이틀 전 내린 폭설까지 해서 몇 겹의 눈이 단단하게 쌓여 있는 평야.

마음 굳게 먹고 수색을 한다면 최소한 사흘에서 열흘은 족히 걸릴 거대한 넓이.

과연 그렇게 시간과 노력을 투자해서 이곳을 수색할 명분이라는 게 존재할 수 있을까.

오랜 시간 동안 턱수염을 쓰다듬으며 생각하던 제갈천

상은 마침내 결정을 내린 듯 크게 고개를 끄덕였다. 그리고는 말머리를 돌려 휘하 수하들을 향해 말했다.

"이제부터는 관도에서 벗어나 평야 양쪽을 수색하며 전진하기로 한다. 쌓인 눈 밑, 그리고 숲속 할 것 없이 최대한 정밀하게 수색할 것이다."

그의 명령을 들은 부관들은 곧 각 군단(軍團)의 책임자들에게 그 지시를 전했고, 군단 책임자들은 이내 수하들을 이끌고 관도를 벗어나 평야로 뛰어들었다.

그들은 제갈천상의 명령을 의아해하거나 혹은 무엇을 찾아야 할지 궁금해하지 않았다. 그들 또한 제갈천상의 명령을 듣는 순간 이 드넓은 평야에서 찾아야 할 게 무엇인지 이내 짐작했기 때문이었다.

명령과 지시는 계속해서 뒤로, 뒤로 전달되었다. 그 명령이 전해지는 시간에 따라 관도를 점령하고 있던 이천여 무사들이 천천히 좌우로 갈라지기 시작했다. 마치 바닷물이 양쪽으로 갈라지는 듯한 장엄한 광경이었다.

빠르게 부대가 만들어지고 정돈되었다. 열 명을 한 조(組)로, 오십 명을 일대(一隊)로, 백 명을 일당(一堂)으로 구성해서 만인평을 점령했다.

관도를 중앙에 두고 좌우 양쪽으로 빠르게 천여 명씩 나뉜 무사들은, 한 사람당 열 보 간격을 두고 나란히 늘어서서 앞으로 걸어 나갔다.

눈이 깊게 쌓인 곳은 무릎까지 푹푹 파였다. 매서운 겨울바람이 대평원을 훑고 지나갈 때마다 쌓여 있던 눈들이 눈보라처럼 흩날려서 시야를 어지럽혔다.

반면 한겨울의 숲은 의외로 벌거벗은 나무들이 빽곡하게 들어차 있어서 제대로 수색하기가 힘들었다.

그야말로 무언가를 찾기에는 정말 힘든 날씨였고 쉽지 않은 공간이었지만, 그 이천여 무사들은 그 누구도 불평하거나 투덜거리지 않았다.

그들은 오로지 제 발밑에 모든 신경을 집중했고, 나무와 바위를 샅샅이 뒤지면서 수색에 전념했다.

열 보 간격을 두고 일렬로 나란히 줄을 선 무사들은 천천히 전진했다. 숲을 수색하느라 잠시 시간이 지체하는 조(組)가 있으면 다른 무사들은 제자리에 서서 그들의 수색을 기다렸다.

누구 하나 따로 움직이거나 줄을 이탈하는 이가 없었다. 그야말로 완벽하고 확실하게 기강이 선 무리들이었다.

그들의 전진이 느릿한 것과는 달리 시간은 물처럼 흘러서 어느덧 해가 중천에 떴다. 아직 추위가 가시지 않은 계절, 햇빛이 꽤 맑았지만 여전히 눈은 녹을 생각을 하지 않았다.

"잠시 휴식!"

새로운 지시가 하달된 듯 백여 필의 말을 탄 이들이 이리저리 말을 내달리며 크게 소리쳤다.

"그 자리에서 휴식을 취한다! 최대한 간단하게 식사를 끝내고 다시 반 시진 후 다시 움직이기로 한다!"

이내 무사들은 각자 품에서 건포(乾脯)와 건량(乾糧)을 꺼내 식사를 하기 시작했다.

야숙(野宿) 생활에 능통한 몇몇 조원들은 이 와중에도 빠르게 불을 피운 다음, 상비하고 다니는 조그만 솥을 걸고 눈을 녹여서 차를 끓이거나 혹은 건포와 건량을 넣고 고기 죽을 만들기도 했다.

그렇게 반 시진의 휴식이 끝난 후 다시 이천의 무적가 무사들은 드넓은 평야를 수색했다.

오후가 되면서 먹구름이 끼고 슬슬 날씨가 추워지더니 결국 눈이 내리기 시작했다. 여기에 해가 져서 어둠까지 내리면 수색은 더욱 어려워질 것이다.

하지만 무적가 무사들은 한 치의 당황함 없이, 여전히 한 걸음 한 걸음 천천히 옮기면서 자신들의 주변을 철두철미하게 수색하고 있었다.

그 어떤 일이든 맡은 바 임무에 최선을 다하는 것, 그게 지금의 무적가를 만든 기초였으니까.

3. 자네 책임

무적가의 이천여 고수들이 만인평 일대를 수색하기 이틀 전, 한 무리의 관아(官衙) 사람들이 성도부에서 가장 명성 높고 고급스러운 객잔인 취영객잔(翠影客棧)을 찾았다.

끄물끄물한 날씨, 금방이라도 한바탕 비나 눈이 내릴 것만 같은 오후의 일이었다.

"폭설이라도 쏟아지겠군."

관복에 관모를 쓴 사람들 중 가장 나이가 많은 노인이 문득 하늘을 올려다보며 중얼거렸다.

"폭설입니까?"

노인을 수행하는 젊은 부관이 조심스레 물었다.

"그렇지. 아주 크게 눈이 내릴 것 같은 날씨야."

노인은 고개를 끄덕이며 말했다.

"뭐, 올해는 풍년일지도 모르겠지만 여하튼 고약한 날씨임은 분명하다니까. 벌써 이월인데도 여전히 이렇게 추운 걸 보면 말이지."

노인은 한기를 느낀 듯 몸을 부르르 떨고는 힐끗 객잔 쪽을 바라보았다. 별채로 소식을 전하러 간 객잔 지배인은 좀처럼 오지 않았다.

역시 내키지 않았다.

무림의 일에 관이 끼어들다니, 그것도 상대가 당금 무림천하를 지배하는 태극천맹의 오대가문 중 하나인 철목가인 게다. 내킬 리가 만무한 일이었다.

하지만 젊고 자신만만하며 나랏일을 봉행한다는 자부심이 강한 이 동수천이라는 이름의 부관은 결코 그리 생각하지 않는 모양이었다.

"아무리 생각해도 이번 행차는 너무나 탁월하고 옳은 결정이신 것 같습니다."

부관 동수천은 눈빛까지 반짝이며 말했다.

"비록 강호 무림인이라고는 하지만 그들 또한 국법(國法) 아래에서는 일개 백성과 똑같은 처지, 국법의 규율이 얼마나 무섭고 엄정한지 이참에 한번 가르쳐 주는 것도 나쁘지 않을 것입니다."

'그래. 어릴 때는 다들 그리 생각하지. 처음에는 다들 그렇게 충성심 강하고 자긍심 뛰어난 포쾌들이지.'

노인은 가만히 부관을 바라보며 내심 중얼거렸다.

'하지만 세월이 흐르고 경험이 쌓이면서 국법만으로는 도저히 어찌해 볼 수 없는 자들이, 일들이 있다는 걸 알게 될 게다. 그때 가서야 비로소 스스로에 대해 제대로 알게 되는 게 또 이 직업인 게다.'

대부분의 포쾌와 포두들은 국법을 넘어서는 무력과 위엄, 세력을 가진 자들 앞에서 결국 좌절하거나 포기하거나 혹은 외면하거나 아예 동조하기도 한다.

그에 따라서 탐관오리가 되기도 하고 무능력자가 되기도 하며 방관자가 되기도 한다.

그중 한두 명은 끝까지 자긍심을 버리지 않고 자신의 고집을 꺾지 않고 국법을 넘어서는 자들과 맞서 싸우기도 하지만 결과는 형편없었다.

파면당하거나 좌천을 당하면 그나마 나은 결과였다. 누군가에 의해 불구가 되거나 혹은 목숨을 잃는 경우도 태반이었으니까.

'그럼 나는 어떤 부류였지?'

객잔 처마 밑에 서서 끄물끄물한 하늘을 쳐다보며 노인은 잠시 생각했다.

'물에 물 탄 듯, 술에 술 탄 듯 시류에 맞춰 살아온 게 전부인 것 같은데 말이지. 어, 하는 사이에 포두가 되고 대포두가 되더니 이제는 추관까지 되었단 말이거든.'

노인은 쓸쓸하게 웃었다.

'이게 다 만리, 그 녀석 때문이지.'

밑에 수하 하나 잘 둔 덕분이었다. 온갖 일은 그 수하가 다 하고 힘들게 결과를 냈는데, 결국 승진은 노인의 몫이 되었다. 노인이 순검이 된 것 역시 그 강만리라는 녀석이 큰 사건을 해결한 덕분이었으니까.

외려 당시 강만리는 성도부 지부대인의 구촌 당질(堂

姪)을 죽였다는 죄목으로 파면당한 처지였고, 그래서 관아에서는 아무런 보상도 받지 못하고 마무리되었다.

'허 참, 그게 족쇄가 되어 결국 늘그막에 이런 일까지 하게 되다니…….'

노인, 당금 성도부 추관이라는 직함을 지닌 학여춘이 그렇게 속으로 혀를 찰 때였다. 별채에 묵고 있는 철목가 사람들에게 그가 왔다는 전갈을 전하러 간 지배인이 땀을 뻘뻘 흘리며 돌아왔다.

귀신이라도 본 것처럼, 혹은 호랑이와 만나고 온 사람처럼 새하얗게 질린 채 나온 지배인은 이 추운 날씨에도 송골송골 맺힌 이마의 땀을 닦으며 입을 열었다.

"들어오시라고 합니다."

"고생하셨네."

학여춘은 지배인의 어깨를 다독인 후 그의 안내를 받으며 후원 별채로 향했다.

취영객잔의 후원은 놀랍게도 수천 평에 이르렀는데, 석등 같은 조형물은 물론이거니와 온갖 나무와 심지어 가산(假山)과 연못까지 꾸며져서 매우 호화로웠다.

열다섯 채의 별채는 각각 낮은 담장으로 구획한 공간 안에 호젓하게 자리를 잡고 있었다. 그런데 놀랍게도 지금 그 열다섯 채의 별채 모두 한 조직이 통째로 빌려 사용하는 중이었다.

학여춘 일행이 후원으로 들어서자 입구에 서 있던 무사들이 그들의 앞을 가로막았다. 지배인이 쩔쩔매며 머리를 조아렸다.

"방금 전 총관께 허락을 맡았습니다."

무사들은 지배인은 바라보지도 않고 학여춘과 그를 수행하는 포두, 포쾌들을 훑어보며 냉랭한 목소리로 물었다.

"무슨 용무인지 먼저 말씀하셔야겠소."

어린 부관, 동수천이 발끈했다.

"이분이 누구이신지 모르오?"

무사는 코웃음을 치며 대꾸했다.

"모르는데?"

"무엄하오! 이분은 다름 아닌 성도부 추관 어르신이시오!"

추관이라면 정식 품계가 있는 관직이었다. 또한 지부대인을 대신하여 성도부의 관아를 총책임지는 거물이기도 했다. 그러니 동수천이 발끈하는 것도 당연한 일이었다.

하지만 여전히 무사들은 팔짱을 낀 채 더욱 싸늘한 목소리로 말했다.

"그러니까, 성도부 추관 어르신께서 왜, 무슨 이유로 본가의 가주께서 휴식을 취하고 있는 이곳을 방문했는지 이유를 말하라는 거잖소?"

"그걸 왜 귀하들에게 말해야 하오?"

동수천은 허리춤에 매달려 있던 육모 방망이를 꼬나들며 으르렁거리듯 말했다.

"자꾸 이렇게 별일 아닌 것으로 국법을 행사하려는 추관 어르신의 발목을 잡으려 한다면, 공무 집행을 방해하는 죄목으로 엄하게 벌할 것이오!"

"국법? 공무 집행?"

무사들은 어이가 없다는 듯 되묻다가 동료의 얼굴을 돌아보고는 서로 껄껄껄 웃음을 터뜨렸다.

일순 동수천의 얼굴이 시뻘겋게 달아올랐다. 그는 육모 방망이를 치켜들면서 한 걸음 앞으로 나섰다.

그때였다.

"물러 있거라."

학여춘이 동수천을 제지했다.

동수천은 억울하다는 표정을 지었지만 이내 고개를 숙이며 뒤로 물러섰다.

학여춘은 뒷짐을 진 채 무사들을 둘러보며 천천히 입을 열었다.

"조금 전 호 지배인의 말대로 이미 귀하들의 상관과 이야기가 끝난 일이오. 그런데도 이렇게 우리를 붙잡는다면 철목가 측에서 본 성도부 관아와 대화를 나눌 의지가 없다고 판단, 이대로 물러나겠소."

"그러시던가."

"대신 향후 벌어질 모든 일은 세 분 무사의 책임이라는 걸 확실히 알아 두시오. 귀하들의 가주께서 어찌 처리하실지 두고 보겠소."

학여춘은 차분하게 말한 후 곧장 몸을 돌려 후원을 나섰다. 동수천을 비롯한 포두와 포쾌들은 무사들을 한 번 째려보고는 서둘러 학여춘의 뒤를 따랐다.

지배인은 어찌할 바를 몰라하며 발을 동동 구르다가 크게 한숨을 쉬고는 고개를 설레설레 흔들며 학여춘을 향해 달려갔다.

"추관 어르신! 잠깐만 기다리십시오!"

세 명의 무사들은 서로의 얼굴을 돌아보았다. 뒤늦게 자신들이 잘못한 게 아닐까, 하는 생각이 든 모양이었다.

나이도 어린 자식이 관복을 입었답시고 국법이니 공무니 하면서 성질을 긁는 바람에 조금 까탈스럽게 굴기는 했지만, 어쨌든 총관이 면담을 허락했다면 이렇게 문전박대를 할 상황은 아닌 게 분명했다.

"어떡하지?"

"어떡하기는. 얼른 자네가 가서 돌아오라고 하게. 자네가 내쫓다시피 했으니까."

"하지만 그렇게 되면 내 체면이……."

"그럼 나도 모르겠네. 나중에 총관께서 물어보시면 모

두 왕구(王九) 자네 책임이라고 말할 테니까."

동료들의 말에 왕구라 불린 무사의 얼굴이 붉으락푸르락 변했다.

같이 낄낄거리면서 조롱할 때는 언제고 막상 문제가 될 듯하자 자기들은 상관없다며 얼른 발을 빼는 것이다. 이런 게 동료라니, 세상 믿을 놈 하나 없었다.

하지만 놈들과 말다툼을 할 시간은 없었다. 벌써 학여춘 일행은 후원과 객잔의 경계를 이루는 월동문(月洞門) 저편으로 사라져 보이지 않았다.

책임.

책임은 함부로 지는 게 아니었다.

특히 뒤탈이 날지도 모르는 책임은 무조건 피하고 보는 게 상책이었다. 그런 면에서 동료 무사들의 발뺌이 이해 가지 않는 건 아니었다.

"젠장!"

결국 왕구는 빽 하고 욕설을 퍼붓고는 이내 학여춘을 향해 달려가며 황급히 소리쳤다.

"이보시오! 추관! 추관 어르신! 잠깐만요!"

동료 무사들이 그 뒷모습을 보면서 킬킬 웃었다.

9장.
무림인과 탐관오리

하지만 온갖 풍상(風霜)을 겪으면서, 그리고 세상의 이치를 알게 되면서
그 친구 역시 조금씩 변하고 또 타협해 갔다네.
가령 조그만 잘못은 눈감아 주기도 하고,
큰 악당을 잡기 위해서 작은 악당과 손을 잡을 줄도 알게 되고
심지어는 뒷주머니를 찰 줄도 알게 되었지.

1. 추관 학여춘

무림인들은 본능적으로 관인(官人)을 경원시했다. 심지어는 아무 접점도 없는 그들을 싫어하거나 혐오하기까지 했다. 이 철목가의 수문위사가 학여춘 일행을 두고 그리 행동하고 말한 것도 그런 이유에서였다.

사실 그 또한 그렇게까지 막무가내로 나갈 생각은 없었다. 어쨌든 상대는 관인 중에서도 매우 직급이 높은 추관 일행이었으며, 무엇보다 이미 철목가 총관의 승낙을 받은 상황이었으니까.

그는 그저 몇 마디 불퉁거리는 것으로 관인들이 쩔쩔매는 모습을 보고 싶었을 뿐이고, 손을 비비적거리며 연신 허리를 굽신거리는 광경을 그렸을 뿐이었다.

하지만 예상외로 새파랗게 어린 애송이 포두가 발끈해서 덤벼들었다. 그 바람에 그는 물러날 기회를 잡지 못한 채 더 강하고 세게 밀어붙였다. 이른바 호랑이 등에 올라탄 형세가 되고 만 것이다.

그런 우여곡절 끝에 결국 그는 학여춘을 쫓아가 다시 데려와야만 했다. 그 와중에 그가 자존심과 체면을 버리고 엎드려 빌다시피 했다는 건 죽을 때까지 누구에게도 말하면 안 되는 일이었다.

취영객잔의 지배인은 연신 식은땀을 닦으며 학여춘 일행을 총관이 묵고 있는 별채로 안내했다.

후원 곳곳에는 철목가의 무사들이 경비를 서고 있었다. 그들은 독수리처럼 날카롭고, 늑대처럼 살기등등한 눈빛으로 지배인과 학여춘 일행을 노려보았다.

그 기세가 얼마나 살벌하고 무서운지, 자긍심 높고 고개 뻣뻣한 포두 동수천마저도 감히 똑바로 시선을 마주하지 못하고 고개를 외면한 채 그들의 곁을 빠르게 지나쳤다.

"여깁니다."

지배인은 떨리는 목소리로 말했다.

후원 열다섯 채의 별채 중에서 가장 화려하고 고급스러운 별채였다. 그 별채에는 다섯 개의 방과 대청처럼 넓은 객청이 있었고, 객청을 나와 회랑(回廊)을 따라 걸으면 곧바로 연못의 정자로 이어져 있었다.

회랑은 건물과 정원 등을 둘러싼, 지붕이 있는 복도를 뜻하는데 이 취영객잔 후원에 있는 별채 중 다섯 곳은 중앙의 연못에 있는 정자까지 회랑으로 이어져 있었다.

학여춘은 본능적으로 그 회랑으로 연결된 별채들의 위치를 확인했다.

'만약 몰래 잠입해서 이곳 별채까지 오려면 가장 좋은 방법이 저 회랑을 이용하는 것일 테니까.'

학여춘은 자신과는 전혀 상관없는 생각을 하면서 별채 객청으로 들어섰다.

객청에는 대여섯 명의 무사들이 모여 있었다. 하나같이 눈빛 서늘하고 기골 장대한 중년의 무인들로, 그들이 은연중에 뿜어내는 무형의 위압감은 절로 학여춘 일행을 위축시키기에 충분했다.

학여춘은 중년 무인들의 얼굴을 일일이 확인하다가 우측의 무사를 향해 손을 모으며 인사했다.

"성도부 추관 학여춘이 철목가 총관께 인사드리오."

구레나룻을 덥수룩하게 기른 중년 무인의 눈가에 살짝 이채의 빛이 스며들었다. 하지만 그는 곧 손을 모으며 정중하게 인사를 받았다.

"철목가 총관인 항조군(恒釣軍)이라고 합니다. 이렇게

성도부 관아의 높으신 분을 뵙게 되어 영광입니다. 자, 이리로 앉으시지요."

학여춘 일행은 항조군의 손짓에 따라 자리를 잡고 앉았다. 그러자 항조군과 다른 무인들도 맞은편 자리에 착석했다.

항조군이 살짝 웃는 낯으로 물었다.

"그런데 어찌 제가 총관임을 아셨는지요?"

학여춘은 당연하다는 듯이 대답했다.

"그야 여기 계신 다섯 영웅들 중에서 가장 깊고 냉철한 눈빛을 지니셨으니까요."

학여춘은 조곤조곤한 말투로 말을 이어 나갔다.

"무릇 일가(一家)의 총관이라면 누구보다도 주변 상황을 빠르게 헤아리고 살필 줄 알아야 하며 또 주도적으로 결정을 내려야 할 테니, 언제나 그렇게 깊고 냉철하며 이성적인 시선을 잃지 않아야 한다고 생각하거든요. 제가 본 바로는 항 총관께서 딱 그러한 눈빛을 지니셔서 말입니다."

거기까지 말한 학여춘은 문득 살짝 고개를 갸웃거리며 중얼거리듯이 말을 덧붙였다.

"뭐, 어떤 의미에서는 사람을 관찰하고 살피어 그 사람의 적성과 성격, 장단점을 찾아내는 일에 더 적합할 것 같기도 합니다만……."

"하하, 그렇게 보였습니까? 너무 과한 칭찬이신 것 같아서 부끄러울 따름입니다."

항조군은 그렇게 겸양의 미소를 지으며 말했다. 하지만 내심 그는 이 학여춘이라는 늙은 추관이 결코 평범한 인물이 아니라고 생각했다.

'한눈에 내 현재의 직급은 물론 과거의 직급까지 헤아리다니…… 만만치 않은 늙은이로구나. 관아에도 이런 사람이 있었군그래.'

더더욱 이 학여춘이라는 자가 이곳을 찾아온 이유가 궁금해지는 순간이었다.

항조군이 철목가의 총관이 된 건 불과 몇 달 전의 일이었다. 몇 달 전, 가주 정극신의 심기를 거슬린 죄로 기존의 총관이었던 이가 목숨을 잃은 후 그를 대신하여 새로이 총관이 되었을 뿐이었다.

총관이 되기 전 그는 천구당(天求堂)의 당주로, 철목가 전체 무사들을 선별하여 각 단(團)과 당(堂), 부(部)에서 원하거나 필요한 인재를 추려주는 업무를 맡고 있었다.

즉, 아닌 게 아니라 학여춘이 말한 대로 항조군은 사람을 관찰하고 살펴서 그 사람의 장단점과 적성을 찾아내는 일을 하고 있었던 것이다.

항조군은 예리한 눈빛으로 학여춘의 표정을 살펴보며 입을 열었다.

"그런데 관아의 추관께서 무슨 일로 이곳까지 행차하셨는지 궁금하군요."

"아, 그리 대단한 일은 아닙니다. 그저 모처럼 무림의 영웅들이 이곳 성도부에 오셨으니 얼굴을 뵙고 인연을 쌓아 두는 게 어떨까 싶어서 찾아왔습니다."

"하하, 그런 일이라면 얼마든지 환영합니다. 우리 역시 학 추관처럼 훌륭하신 관원과 친분을 쌓을 수 있으니 말입니다."

"그리 말씀해 주시니 고맙습니다."

학여춘은 준비된 차를 홀짝홀짝 마시며 이런저런 이야기를 늘어놓았다.

요즘 늦추위로 인해 날씨가 매섭다느니, 그래도 눈이 자주 내려서 올해는 풍년일 것 같다느니 하는 등의 신변잡기에 불과한 이야기들이었다.

항조군은 불쾌하거나 싫은 내색 없이 학여춘의 이야기에 맞장구를 치며 대화를 나누었다.

사실 이렇게 느닷없이 관원이 찾아와서 하등 쓸데없는 이야기를 줄줄이 늘어놓은 건 어찌 보면 뇌물이나 접대를 종용하는 행동이라고 여길 수도 있었다.

그러나 항조군은 전혀 그리 생각하지 않았다. 그가 마주하고 있는 이 학여춘이라는 자는 그런 평범한 탐관오리가 결코 아니었다. 그건 십여 년 동안의 천구당주 경력을 걸고 확실할 수 있었다.

아니나 다를까. 학여춘의 이야기가 슬슬 바뀌고 있었다.

"그런데 말입니다. 대략 십여 일 전쯤 또 다른 무림의 일당 수백 명이 이곳 성도부를 찾아와 난동을 부린 적이 있었습니다. 아아, 그들이 얼마나 패악질을 했는지……."

학여춘은 짐짓 진저리를 크게 치며 말꼬리를 흐렸다.

항조군은 살짝 눈살을 찌푸렸다.

지금 학여춘의 행동과 말투는 전형적인 관인이나 장사꾼들이 흔히 보여 주는 과장된 몸짓이었고, 의도된 말 흐리기였다. 제대로 된 관인이나 상인이라면 전혀 하지 않을 삼류의 행동과 말투였다.

항조군은 무심한 눈빛으로 학여춘을 지켜보면서 입을 열었다.

"그 이야기는 우리도 익히 들어 알고 있습니다. 불과 이삼 일 사이에 엄청난 일들을 저질렀더군요."

"그러니까 말입니다. 만약 관과 무림이 상호 간섭하지 않고 개입하지 않는다는 암묵의 규율이 없었다면, 본 성도부는 모든 관원과 병사를 총동원하여 그들을 섬멸했을 것입니다. 그들이 흑방이나 하오문을 박살 내고 멸문시키는 거야 상관없는 일이지만, 어쨌거나 그 와중에 선량하고 힘없는 일반 백성들까지 다치게 만들었으니까요."

항조군의 양옆으로 앉아 있던 무인들의 안면 근육이 씰룩거렸다. 그들의 얼굴에는 퍽이나 그렇게 할 수 있겠다는 조소를 억지로 참는 표정이 역력했다.

학여춘은 전혀 아랑곳하지 않고 계속해서 말을 이어 나갔다.

"그런데 희한하게도 그들이 그렇게 흑방과 하오문을 박살 내면서까지 찾고 있던 게 금은보화나 신병이기가 아니었답니다. 어이없게도 그들이 찾고 있던 건 동료들, 그러니까 그들보다 먼저 이곳 성도부를 찾았다가 실종된 동료들의 행방이었던 게죠."

"흠."

항조군은 가볍게 신음을 흘렸다.

이것도 알고 있는 내용이었다. 광철단주 추경광과 광철단이 성도부에서 무적가 사람들과 싸워 공멸(共滅)했다는 부분은 이곳에 도착한 후 각양각색의 정보 조직과 정보꾼들을 통해 알게 된 정보 중 하나였으니까.

학여춘은 항조군의 눈치를 살피다가 어깨를 추욱 늘어뜨렸다. 마치 일부러 '쳇! 이것도 알고 있었네.' 하는 식의 표정과 행동을 보여 주는 것 같았다.

"허험, 어쨌든 그렇게 성도부의 모든 흑방과 하오문을 괴멸시킬 것처럼 날뛰던 그들이 하루아침에 야반도주하고 말았지 뭡니까?"

학여춘은 한숨을 쉬며 말을 이었다.

"사실 본관(本官)이 관여할 이유도 필요도 없는 일이기는 하지만, 그대로 어찌 되었건 선량하고 죄 없는 우리 백성들이 피해를 본 상황인지라 그 뒷수습을 하면서 살짝 이것저것 조사를 했지요. 그랬더니…… 실로 의외의 이야기가 숨어 있지 뭡니까?"

거기까지 말한 학여춘은 잠시 말을 멈추고 찻잔을 들어 향기를 음미했다.

막 이야기가 점입가경, 재미있어지려던 참이었다. 듣고 있던 이들의 흥미와 호기심을 잔뜩 일으킨 순간이었다. 그때 말을 끊는 것이다. 교활하고 노련한 화술이었다.

학조군은 잠시 학여춘을 바라보았다. 학여춘은 홀짝거리며 차를 마실 뿐 쉽게 뒷이야기를 이어 나갈 생각을 하지 않았다.

'흠, 처음 내 추측이 틀렸던 겐가?'

항조군은 속으로 한숨을 내쉬었다.

'이 늙은이 또한 여느 곳에서 흔히 볼 수 있는 탐관오리에 불과했던 걸까? 약간의 돈이나 챙기기 위해서 관의 정보를 빼내 흥정하는 그런 탐욕에 찌든 작자였던 걸까?'

항조군은 학여춘에 대한 흥미가 사라졌다. 그는 잠시 생각하다가 품에서 전표 다발을 꺼내 들었다. 그리고는 똑바로 학여춘을 바라보며 입을 열었다.

"얼마에 파실 겁니까?"

2. 총관 항조군

학여춘은 새끼손가락으로 귓구멍을 후비며 말했다.

"허허, 누가 판다고 했습니까? 본관이 정보를 사고파는 거간꾼도 아닌데 말입니다."

"은자 오백 냥이면 되겠습니까?"

항조군은 전표 다발에서 전표 몇 장을 꺼내며 묻자, 동수천이 눈을 부릅뜨며 자리에서 벌떡 일어나려 했다.

"이게 무슨 수작……."

"허허, 너는 가만히 있거라."

학여춘이 손을 저으며 발작하려는 동수천을 제지했다. 동수천은 씩씩거리며 다시 자리에 앉았다.

그러는 동안에 항조군은 재차 전표 몇 장을 더 빼 들어 탁자 위에 올려놓으며 말했다.

"은자 천 냥. 흥정은 이걸로 끝입니다."

"허허, 그것참. 본관이 언제 흥정한다고 했다고 이리 난처하게 만드시는지 모르겠습니다."

"그럼 거둘까요?"

항조군이 탁자 위에 놓인 전표를 회수하려는 순간, 학여춘이 조금 더 빠르게 입을 열었다.

"뭐, 그렇게까지 말씀하시니…… 국법을 봉행하는 관인들에게 식사라도 사 드시라고 주는 걸로 알고 감사히 받겠습니다."

"추관 나리!"

동수천이 놀라 소리쳤다.

그리고 뭔가 불만스러운 표정을 지으며 말하려 했지만 이내 다른 포두들이 그의 입을 막고 뒤통수를 치고 옆구리를 꼬집으면서 제지했다.

그 와중에 학여춘은 슬쩍 눈치를 주었고, 노련한 포두 한 명이 얼른 손을 뻗어 전표를 챙겼다. 그 날렵한 손놀림과 매끄러운 동작을 보아하니 한두 번 돈을 챙겨 본 솜씨가 아닌 듯했다.

'잠시나마 기대했던 내가 바보인 게지.'

항조군은 속으로 혀를 차며 입을 열었다.

"그럼 나름대로 뒷조사를 하다가 알게 되었다는 그 의외의 이야기가 뭔지요?"

"그게……."

학여춘은 조금 더 시간을 끌면서 듣는 이들의 애를 태우다가 불쑥 입을 열었다.

"무림오적이라고 들어 보셨습니까?"

항조군의 눈이 휘둥그레졌다.

"무림오적이요?"

＊　＊　＊

"무림오적?"

정극신의 눈썹이 꿈틀거렸다.

"네, 그렇습니다."

총관 항조군이 머리를 조아리며 말했다.

"추관 학여춘의 말에 따르자면 당시 무적가 무리들이
야반도주한 것은 무림오적이라는 조직과 관련이 있었다
고 합니다. 사실 속하는 처음 들어 보는 조직이라 그리 신
빙성이 높지는 않다고 생각했습니다. 아직 강호에 그 이
름조차 제대로 알리지 못한 신흥 조직이 무적가 수백 명
과 싸워 패주(敗走)시킬 능력이 있을 리 만무하니까요."

"그런 판단은 섣불리 하지 않는 게 좋다."

"아, 죄송합니다."

"네가 모른다고 해서 모든 게 거짓일 리가 없으니까.
거꾸로 세상 모든 고수들을 네가 전부 다 알고 있는 것도
아니지 않느냐?"

"죄송합니다. 보다 신중하고 냉철하게 판단하겠습니
다."

"무림오적이라……."

정극신이 턱수염을 매만지며 중얼거렸다. 항조군은 그의 눈치를 살피며 조심스레 입을 열었다.

"가주께서는 알고 계시는지요?"

"흥. 내가 네게 대답해 줄 의무라도 있더냐?"

"죄송합니다, 가주."

정극신의 싸늘한 말투에 항조군은 황급히 고개를 숙였다. 정극신의 심기를 거슬렸다가 목숨을 잃은 전임 총관이 떠오르는 순간이었다.

하지만 정극신은 항조군의 무례함에 벌을 줄 생각은 하고 있지 않은 듯했다.

어찌 보면 지금 정극신은 오랫동안의 무료함에서 벗어나 꽤 즐겁고 기쁜 것처럼 보이기도 했다. 마치 새로운 장난감을 발견하기라도 한 듯 말이다.

"그래, 들어 본 기억은 있는 것 같구나."

정극신은 눈을 가느스름하게 뜬 채 중얼거렸다.

"일전의 오대가주 회의 때였던가, 아니면 그 전의 회의 때였던가. 어쨌든 그때 건곤가 가주의 입에서 무림오적이라는 단어가 흘러나오기는 했었지."

그는 관자놀이를 긁으며 기억을 더듬었다.

"우리 오대가문을 상대로 싸우기 위해 만들어진 조직이라고 했던가? 게다가 그 무림오적의 뒷배경에는 공적십이마와 구천십지백사백마 등 과거 사마외도의 거물들이 버티고 있다고 했던 것 같은데."

고개를 숙인 채 가만히 듣고 있던 항조군의 가슴이 두근거렸다.

'이런…… 그 늙은 추관의 말이 거짓이 아니었단 말인가?'

항조군은 머뭇거리다가 입을 열었다.

"안 그래도……."

"음? 뭐라 했지?"

혼잣말에 취해 있던 정극신이 그를 돌아보았다. 항조군은 더욱 머리를 숙이며 말했다.

"안 그래도 그 추관이 비슷한 말을 했습니다. 당시 무림오적은 유령교와 연계를 해서 무적가를 패주시켰고, 아예 그들을 몰살시키기 위해서 지금도 무적가 무리들의 뒤를 쫓는 중이라고 말입니다."

"유령교? 아니, 왜 그런 중요한 걸 이제야 말하느냐?"

"죄, 죄송합니다. 그저 늙은이의 망상이 아닐까 판단해서 그만……."

"네 멋대로 판단하지 말라고 하지 않았느냐!"

정극신은 탁자를 내리쳤고, 탁자는 가볍게 두 동강이 났다. 탁자 위에 놓여 있던 술잔과 술병, 그릇들이 사방으로 튀었다.

순간, 정극신의 수발을 들던 시녀들이 빠르게 손을 뻗어 그 술잔과 술병, 그릇들을 모두 챙겼다. 실로 전광석화와 같은 몸놀림이었다.

그녀들은 정극신의 앞에 무릎을 꿇은 채 언제든지 그가 술을 마시고 요리를 맛볼 수 있도록 술잔과 그릇을 두 손으로 받들었다.

정극신은 불길이 뿜어 나오는 눈빛으로 항조군을 노려보며 말을 이었다.

"앞으로는 절대 네 멋대로 판단하고 재단하지 마라. 사실 그대로, 들은 이야기 그대로 전달하기만 하면 된다. 알겠느냐?"

"알겠습니다."

"네 생각과 판단은 오로지 내가 그걸 원할 때만 필요한 게다. 알겠느냐?"

"알겠습니다."

"두 번 다시 이야기할 필요가 없겠지?"

"물론입니다, 가주."

항조군은 내심 안도의 숨을 내쉬는 한편, 긴장과 불안으로 다리가 후들거렸다.

정극신은 항조군에게 마지막 기회를 준 것이다. 다음에도 이런 일이 있다면 이렇게 불처럼 화를 내기보다는 단번에 항조군의 머리를 박살 낼 테니까.

정극신은 여전히 항조군을 노려보면서 입을 열었다.

"그래. 그럼 하던 이야기로 넘어가자. 왜 무림오적과 유령교가 무적가 놈들과 싸우는 게냐?"

항조군은 행여 실수할까 봐 최대한 자신의 의견을 배제하고 학여춘에게 들었던 그대로 전달했다.

"늙은 추관의 말을 빌자면 당시 무적가 사람들이 난동을 피우다가 자기들도 모르게 몇몇 유령교 사람들을 죽였다고 합니다. 그래서 유령교 측에서 복수를 시작했고, 결국 지금까지 무적가가 쫓기는 원인이 된 거라고 합니다."

"흠, 아직도 무적가가 쫓기고 있다?"

"네. 추관의 말을 따르자면 이틀 전인가 만인평 일대에서 한바탕 큰 소란이 있었다고 했습니다. 아마 무적가과 유령교의 전투가 아니었나 싶은…… 아니, 죄송합니다. 그게 추관의 추정이었습니다."

"호오."

정극신의 입가에 희미한 미소가 스며들었다.

그간 지루하고 불쾌하기만 하던 성도부의 나날이었는데 처음으로 이런 즐겁고 재미있는 이야기를 접하게 된 것이다. 잠자고 있던 그의 근육이 꿈틀거리고 묵묵히 흐르고 있던 피가 마구 뛰놀기 시작했다.

"아직도 그곳에서 싸우고 있을까?"

"그건 잘 모르겠습니다. 추관 역시 거기까지는……."

"아니, 이번에는 네 의견이나 판단, 생각을 묻고 있는 게다."

"아, 네. 죄송합니다. 그러니까……."

항조군은 잠시 호흡을 가다듬으며 생각을 정리하고는 아주 조심스럽게 입을 열었다.

"만약 추관의 말이 사실이라면 여전히 유령교와 무적가의 전투는 계속 이어지고 있을 것 같습니다."

"그래?"

"네. 우선 무적가가 성도부에서 정면 싸움에서 패하고 도망쳤다는 건 그만큼 유령교와 무림오적이라는 조직이 막강하다는 걸 뜻합니다. 그 상황에서 유령교와 무림오적이 패주한 무적가 무리들을 뒤쫓는다면, 그야말로 무적가 무리들이 몰살당할 가능성이 매우 높을 겁니다."

"그래서?"

"무적가 무리들은 반드시 원군을 요청했을 겁니다. 아마 전서구를 이용했겠지요. 머리 회전이 빠른 자가 대장이었다면 패주하면서 바로 전서구를 보냈을 것이고, 아무리 늦어도 만인평에 도착하기 전에는 보냈을 겁니다."

"흠."

"그리고 전서구가 무적가 본산에 도착하고 그 내용이 무적가 최고 책임자에게까지 전해지고 다시 무적가에서 원군을 보내겠다는 결정이 내릴 때까지 걸릴 시간을 생각하면, 아무리 늦어도 이삼 일 안에는 무적가의 원군이 만인평에 당도할 가능성이 높습니다. 그리고 이런 예상은 쫓기고 있는 무적가 사람들도 충분히 할 터, 어쩌면 지금도 만인평 어딘가에서 원군이 당도할 때까지 옥쇄(玉碎)를 각오하고 지구전을 펼치고 있을 겁니다."

항조군의 길고 긴 이야기가 끝났다.

"흐음."

정극신은 새롭다는 눈빛으로 그를 바라보다가 불쑥 거칠게 말했다.

"한 번 정도는 더 봐주마."

"네?"

정극신의 갑작스런 말에 항조군은 저도 모르게 고개를 들어 그를 쳐다보았다가 황급히 고개를 숙였다. 시선이 마주치는 순간 그 강렬한 눈빛에 두 눈이 멀 뻔했던 것이다.

고개 숙인 그의 머리 위로 정극신의 무뚝뚝한 목소리가 쏟아져 내렸다.

"내 의지에 관계없이 함부로 네 판단이나 생각을 말한다면, 한 번 정도는 더 용서해 주겠다는 말이다."

"아, 감사합니다."

"좋아, 그럼 네 할 일을 정해 주마. 우선 무적검군과 비룡

맹군에게 일러, 그 무적가와 유령교의 뒤를 쫓도록 하라."

"존명."

"그리고 다시 그 학…… 뭐라 하는 추관을 찾아가 보다 세세한 이야기를 전해 듣도록 하라. 그가 어떻게 유령교와 무림오적에 대해 알고 있는지 알아내고, 또 유령교의 본거지가 어디인지도 알아 오도록."

"존명."

"흠. 이제야 조금 흥이 나는군."

정극신은 손을 뻗었다.

그의 앞에 부복해 있던 시녀가 얼른 술잔을 그 손에 쥐여 줬다. 정극신이 단숨에 술잔을 비우자 다른 시녀가 재빨리 술을 따르고, 또 다른 시녀는 젓가락으로 오리고기 한 점을 집어 그에게 먹여 주었다.

정극신은 오리고기를 우물거리며 중얼거렸다.

"여기에 그 십삼매라는 계집만 딱 끌고 오면 더할 나위 없이 즐거울 텐데 말이지."

3. 포두 동수천

"아무리 생각해도 이건 아닙니다, 추관 나리."

무적가 총관을 만난 후 관아로 돌아가는 길, 동수천이

갑자기 학여춘의 앞길을 막으며 불평했다.

"비록 은자 천 냥이 거액이기는 하지만 그렇다고 우리 관아의 양심을 팔아넘길 정도의 액수는 아니라고 생각합니다. 그깟 무림인들 따위로부터 돈을 받고 정보를 팔아넘기시다니, 이건 제가 평소 존경하던 추관 나리가 아니십니다."

젊은 포두의 격정적인 항변에 다른 포두들은 눈살을 찌푸리거나 혀를 끌끌 찼다. 학여춘만 빙긋 웃으며 고개를 끄덕일 따름이었다.

"맞는 말이다. 옳은 말이기도 하고."

그가 순순히 인정하자 동수천은 살짝 당황한 기색을 보였다. 하지만 다음 순간 동수천은 더욱 화가 나 소리쳤다.

"아니, 알고 계시면서 왜 그런 행동을 하셨습니까? 저는 또 저 무림인들이 저번과 같이 난동을 피우기 전에 미리 경고하러 가시는 줄로만 알았는데, 이렇게 정보를 팔고 돈을 챙겨 오시다니, 이건 탐관오리나 할 짓이 아닙니까!"

"흠, 탐관오리라……."

학여춘이 발걸음을 멈추고 뒷짐을 진 채 중얼거렸다.

일순 동수천의 안색이 살짝 변했다.

아차, 싶었다. 탐관오리라니, 흥분한 나머지 자신도 모르게 선을 넘은 것이다. 감히 추관에게 탐관오리 운운하는 포두라고 말하다니, 이건 아예 잘리고 싶어서 발버둥을 치는 행동인 게다.

'네가 죽고 싶어 환장을 했구나! 이 바보야!'

동수천이 스스로를 책망하며 주춤주춤 뒤로 물러날 때, 학여춘은 뒷짐을 진 채 금방이라도 한바탕 눈이 퍼부을 것만 같은 하늘을 올려다보면서 입을 열었다.

"그래, 네가 보기에는 이 늙은이도 탐관오리로 보인단 말이지?"

"아닙니다!"

동수천이 황급히 손사래를 치며 말했다.

"말이 헛나왔습니다. 추관 나리는 이곳 성도부에서 제가 가장 존경하는 분이십니다. 용서하십시오."

"세상일에는 말이지."

학여춘은 천천히 말했다.

"눈에 보이는 게 전부가 아닐 때가 있단다. 밖과 안이 다를 때도 많지. 그러니 겉을 보고서 속을 짐작하는 것처럼 위험하고 어려운 일이 또 없는 법이란다."

동수천을 알 것 같기도 하고 모를 것 같기도 해서 잠자코 학여춘의 이야기를 듣고 있었다.

"또 관(官)의 일을 하다 보면 청렴결백한 것만으로는 어쩔 도리가 없는 일들도 많단다. 온갖 인맥과 연줄을 동원하여 설득하는 이들은 그나마 괜찮은 편이지."

학여춘의 말에 제법 나이든 포두들은 다들 동의한다는 듯이 고개를 끄덕였다.

"협박과 으름장, 심지어는 직접 흑방 패거리까지 이끌고 와서 실력 행사를 하는 작자들도 있거든. 그렇게 이익과 욕망에 눈먼 자들 사이에서 수십 년 버티고 살아남으려면 결코 청렴결백한 것만으로는 버틸 수가 없네. 밀 때는 밀리는 척도 할 줄 알고, 당길 때는 또 당길 줄도 알아야 하는 게야. 그렇게 조금 더 영악해지고 영활하고 노련해져야만 살아남을 수 있는 게지."

기나긴 학여춘의 말이 끝났다. 포두들 중 몇몇은 심히 공감한다는 듯이 콧물까지 훌쩍거리며 연신 고개를 끄덕이고 있었다.

하지만 아직 젊고 뻣뻣하며 늘 올곧아지려고 노력하는 포두 동수천은 아직도 이해되지 않는다는 표정이었다.

그걸 본 학여춘이 의미심장한 미소를 띠며 물었다.

"참, 네가 가장 존경하고 닮고 싶어 하는 자가 강만리라고 했던가?"

일순 동수천의 얼굴이 살짝 붉어졌다. 조금 전 자신이 가장 존경한다고 말했던 학여춘 앞에서 "네." 하고 대답하기에는 왠지 쑥스럽고 부끄러운 기분이었다.

학여춘은 신경을 쓰지 않고 말을 이었다.

"그 친구도 처음에는 자네 같았지. 불의(不義)를 보면 참지 못하며, 또 악한 자는 벌을 주고 약한 자는 도와주는 게 관인의 본분이라고 생각했다네."

동수천의 눈빛이 반짝거렸다.

"하지만 온갖 풍상(風霜)을 겪으면서, 그리고 세상의 이치를 알게 되면서 그 친구 역시 조금씩 변하고 또 타협해 갔다네. 가령 조그만 잘못은 눈감아 주기도 하고, 큰 악당을 잡기 위해서 작은 악당과 손을 잡을 줄도 알게 되고 심지어는 뒷주머니를 찰 줄도 알게 되었지."

"그, 그게 정말입니까?"

동수천이 믿어지지 않는다는 표정을 지으며 묻자, 학여춘이 허허 웃으며 되물었다.

"내가 아들과 같은 그 친구를 나쁘게 이야기할 이유가 어디 있겠느냐?"

동수천은 입을 다물었다.

하기야 관아에서, 아니 성도부에서 학여춘과 강만리의 관계를 모르는 사람이 어디 있을까.

학여춘이 계속해서 말을 이어 나갔다.

"지금의 자네 눈으로 본다면 강만리 그 친구 역시 세속의 더러운 때가 적당하게 묻어 있는 탐관오리에 불과하겠지. 하지만 그 친구가 진짜 탐관오리들과 달랐던 점이 하나 있었다네. 그게 뭔지 알겠나?"

학여춘의 질문을 받은 동수천은 곰곰이 생각하다가 고개를 저었다.

"모르겠습니다."

학여춘이 그럴 줄 알았다는 듯이 빙긋 웃으며 고개를 끄덕였다.

"그렇겠지. 모를 게야. 아직은 모르는 게 당연하겠지."

그는 주위를 둘러보며 다른 포두들을 향해 재차 물었다.

"자네들 중 아는 사람이 있나?"

'모르겠지.'

동수천은 선배 포두들을 돌아보며 그리 생각했다.

국법을 수호하고 봉행한다는 사명 의식이라고는 눈곱만치도 없는 선배들. 술에 술 탄 듯 물에 물 탄 듯, 그저 시류에 몸을 맡기고 거기에 맞춰 행동하고 말하는 선배들.

뒷주머니를 찰 기회를 마다하지 않고 어떨 때는 대놓고 손을 벌리기도 하는 후안무치(厚顔無恥)한 선배들. 공짜로 밥 먹고 공짜로 술 마시고 또 공짜로 계집도 먹는 파렴치한 선배들.

그게 바로 지금 이곳에 있는 중년의 포두들에 대한 동수천의 판단이었으니까. 그런 포두들이 학여춘의 저 심오한 질문에 대한 답을 알 리가 만무했다. 적어도 동수천은 그렇게 자신했다.

하지만 중년 포두들은 누구라고 할 것 없이 태연한 얼굴로 말했다.

"그야 선(線)은 넘지 않는다는 것 아닙니까?"

"음, 소실대탐(小失大貪)이라고 하면 맞을까요?"

중년 포두들의 말에 동수천의 눈이 휘둥그레졌다. 도대체 지금 이 작자들이 무슨 말을 하고 있는지 전혀 알아들을 수가 없었던 것이다.

반면 학여춘은 고개를 끄덕이며 웃었다.

"그렇지. 바로 그거네. 자네들도 다들 잘 알고 있군그래."

포두들이 머쓱한 표정을 지으며 머리를 긁적였다.

"그야 강 포두나 학 추관 나리께 얻어맞으면서 배운 것들이니까요."

"허어, 만리야 그렇다 치더라도 내가 언제 자네들을 때렸다고 그러는가?"

"아이구, 지금이야 연세 좀 드시고 성격도 온화해지셔서 이렇게 말씀만 하시는 거지, 예전에는 말보다 주먹이 먼저였잖습니까?"

"맞습니다. 게다가 그 꿀밤, 얼마나 아팠는데요."

포두들의 엄살에 학여춘이 껄껄 웃다가 문득 뒤늦게 생각이 났는지 홀로 멍한 표정을 짓고 있는 동수천을 돌아보며 다시 입을 열었다.

"그래. 그런 게다. 선을 지키고 넘지 않는 것, 바로 그게 탐관오리들과 그렇지 않은 자들의 경계인 게야."

동수천은 망설이다가 말을 꺼냈다.

"그럼 선을 지킨다는 게 최소한의 양심을 말하는 겁니까?"

"흠, 그건 사람마다 다르지. 저마다 반드시 지키고 넘지 않아야 할 선들이 다르니까. 누구에게는 그게 최소한의 양심일 수 있겠고, 누구에게는 그게 국법이나 율법, 혹은 자존심일 수도 있겠지."

동수천은 곰곰이 생각했다.

'그러니까 사소한 비리나 적당한 거래, 소소한 뇌물 같은 건 거리낌 없이 주고받지만 제대로 된 큰 비리나 용납할 수 없는 범죄 같은 건 나라의 법대로 처리한다 이건가? 아! 그렇군, 소실대탐이라는 게 무슨 뜻인지 이제야 알겠군그래.'

소실대탐.

작은 범죄는 놓아주고 큰 범죄는 반드시 해결한다, 혹은 작은 정의는 외면할 수도 있지만 큰 정의만큼은 지킨다. 중년 포두들은 아마도 이런 의미로 저 말도 안 되는 사자성어를 사용한 게 분명했다.

'하지만 결국 그건 자기기만이고, 자기만족에 불과한

게 아닌가?'

동수천은 여전히 용납할 수가 없었다.

작은 범죄이건 큰 범죄이건 가리지 않고 다 잡아 버리면 되는 게 아닌가. 작은 정의도 지키지 못하면서 무슨 큰 정의 운운한다는 건가.

결국 그런 건 세류에 떠밀린 채 살아가는 자들의 비겁한 변명에 불과한 게 아닐까.

학여춘은 동수천의 표정과 눈빛에서 그런 생각을 하고 있다는 걸 알아차린 모양이었다. 그는 동수천의 어깨를 다독이듯 툭툭 치며 말했다.

"이해는 하되 용납이 안 되는 것도 당연하지. 그리고 우리들과는 다르게 법을 집행할 거라고 다짐하는 것도 당연하네. 만약 십 년이 지난 후에도 그런 생각을 하고 또 그렇게 행동하고 있다면……."

학여춘은 가만히 동수천의 눈을 들여다보며 말했다.

"그때는 내가 자네 발밑에 엎드려 사죄하겠네. 내 어리석음과 비겁함과 나약함에 대해서."

중년 포두들이 수군거렸다.

"나 같으면 오 년이면 족하다에 은자 열 냥을 걸겠어."

"나는 삼 년에 은자 쉰 냥."

"좋아, 그럼 나도 오 년에 은자 마흔 냥. 그럼 내기가 성립한 거지?"

동수천은 포두들의 대화를 귓등으로 흘려들으며 입술을 깨물었다.

　'알겠습니다. 반드시 추관 나리의 사과를 받아 내겠습니다.'

　그렇게 내심 중얼거리는 젊은 포두의 눈빛이 별처럼 반짝일 때, 멀리서 학여춘을 부리는 소리가 들려왔다.

　"학 추관! 학 추관!"

　포두들은 뒤를 돌아보았다. 소리치며 달려오는 사람을 본 포두들의 눈이 이내 휘둥그레졌다.

　오직 한 명, 학여춘만이 그럴 줄 알았다는 듯이 살짝 고개를 끄덕이고는, 빠른 속도로 그를 향해 달려오고 있는 항조군에게 웃으며 물었다.

　"어쩐 일이십니까, 항 총관?"

10장.
조호이산(調虎移山)

그런 경우처럼 조호이산(調虎移山) 역시 두 가지 의미로 해석할 수가 있다.
호랑이를 산에서 넓은 들판으로 유인한 다음 죽인다는 것이 첫째,
그리고 두 번째는 호랑이를 산속에서 쫓아낸 다음
그 본거지인 산을 약탈한다는 것이다.

1. 고굉과 아란

"내일쯤 무적가가 만인평 일대에 당도할 것 같습니다. 어제 오후부터 오늘 새벽까지 폭설(暴雪)이 쏟아졌지만 저들의 질주에는 아무런 영향도 주지 못할 듯싶습니다."

"십삼매의 황계와 루호의 유령교 사람들이 약속대로 모든 병력을 동원하는 중입니다. 특히 복수를 원하는 유령교 측의 사기가 남다른바, 반드시 이번 기회에 무적가를 몰살하겠다는 것이 그들의 의지입니다."

"학 추관께서 어제 낮에 철목가 총관과 회합을 가지셨습니다. 첫 번째 회합 후 철목가 총관이 달려 나와 관아로 돌아가시던 학 추관을 붙잡고 재차 회합을 가지셨다고 하니 성공적인 회합이었던 것 같습니다."

성도부 내부와 외곽 곳곳에 퍼져 있던 화평장의 순찰당원들이 날려 보낸 전서구에는 그런 내용이 적혀 있었고, 고굉이 근엄한 목소리로 그 내용을 천천히 읽어 내려갔다.

고굉은 화평장의 안주인들을 호위하느라 자리를 비운 순찰당주 양위를 대신하여 화평장 경비 총책임을 맡고 있었는데, 의외로 일 처리가 신속하고 정확하여 강만리의 신임을 얻는 중이었다.

"마지막 보고입니다. 오늘 새벽, 폭설이 그치자마자 철목가 측에서 비룡맹군과 무적검군, 그리고 삼백의 무사들을 만인평으로 보냈습니다. 계획한 그대로 내일쯤 만인평에서 철목가와 무적가의 대군이 맞부딪칠 것 같습니다."

거기까지 읽은 고굉은 쪽지를 고이 접어 품에 넣은 후 탁자 정면에 앉아 있는 강만리를 바라보았다. 평소와는 달리 강만리를 보는 그의 눈빛에는 신뢰와 존경, 그리고 두려움의 빛까지 담겨 있었다.

'무서운 사람이다.'

그게 지금 강만리를 대하는 고굉의 생각이었다.

'이 모든 계획을 거의 반년 전부터 꾸며 왔다니……. 곰인 줄 알았더니 여우였던 게야. 그것도 속에 능구렁이가

열두 마리 정도 들어 있는 여우.'

고굉은 속으로 혀를 내둘렀다.

반년 전이라면 남녕부에서 실종당한 제갈충렬의 행방을 수소문하기 위해서 제갈충인과 제갈충무 등이 무적가 무사들을 이끌고 성도부를 찾았던 그때를 의미했다.

때마침 성도부에는 철목가의 광철단주 추경광이 이끄는 광철단이 있었고, 결국 추경광과 제갈충인은 화평장을 기습하려다가 실패, 외려 자신들은 물론 수하들까지 모두 몰살당해야 했다.

그 당시 강만리는 이게 끝이 아니라고 직감했다.

"계속해서 무적가와 철목가가 사람을 보내올 테지. 그들을 죽이다 보면 결국에는 양쪽 가문의 수뇌들이 전 병력을 대동하고 나타날 것이고."

강만리는 그렇게 말하면서 장기적인 계획을 준비하기 시작했다. 첫 번째가 화평장의 경비를 강화하는 일이었고, 두 번째가 황계와 허 노야 등과 연계하는 일이었다.

당시만 하더라도 강만리는 허 노야가 유령교의 봉공이라는 사실까지는 알지 못했다.

하지만 허 노야가 황계와 연관이 있으며 또한 상당한 무위를 지닌 노괴물인 데다가 그의 수하들, 그러니까 루호나 취표, 몽사 등의 실력이 결코 만만치 않다는 사실을 익히 잘 알고 있었다.

물론 황계와의 연계는 어렵지 않은 일이었다. 그러나 허 노야와 직접적인 교류가 없었던 만큼, 또 담우천의 수하인 이매청풍으로 맺어진 악연까지 있었던 만큼 그들과의 연계는 결코 쉽지 않았다.

그 쉽지 않은 연계는 기묘하게도 무적가 덕분에 해결이 되었다. 제갈보광이 이끄는 무적가 오백여 무사는 제갈충렬, 제갈충인, 제갈충무 등의 실종 사건을 해결하기 위해 성도부의 흑방들을 거의 다 괴멸시켰다.

그 와중에 허 노야가 아끼는 심복들과 연인까지 살해했고, 허 노야는 격노하여 무적가와의 전면전을 선포했다.

이후 강만리는 십삼매와 허 노야를 찾아가 자신의 계획에 대해 설명하고 협력을 구했다. 그러는 한편 추관 학여춘까지 동원하여 철목가 총관에게 거짓 정보를 넘기게 했다.

"철목가를 속이는 일은 전혀 쉽지 않아. 일 할의 거짓말이 통하게 만들려면 구 할의 진실한 정보를 넘겨줘야지. 그 와중에 무림오적이나 황계, 유령교의 존재가 드러나는 건 어쩔 도리가 없어."

강만리는 한숨을 쉬며 그렇게 말했다.

그때까지만 하더라도 고굉은 그 모든 계획들이 톱니바퀴 돌 듯 딱 맞아떨어질 거라고는 전혀 생각하지 않았다.

하지만 믿을 수 없게도 무적가와 철목가는 강만리가 손

바닥 위에 그린 계획대로 움직이기 시작했다.

'더 무서운 건…….'

고굉은 마른침을 삼키며 속으로 중얼거렸다.

'내가 그의 계획에 대해 겨우 절반도 알지 못한다는 점이지. 겨우 이것저것 귀동냥해서 알게 된 것 몇 가지, 그리고 대충 장원이 돌아가는 상황을 보고 유추해낸 것들에 불과하니까. 이른바 화평장의 다섯 가주만이 공유하는 비밀 같은 건 전혀 알 수가 없거든.'

고굉은 더럽게 콧구멍을 후비면서 상념에 젖어 있는 강만리를 훔쳐보면서 생각을 이어 갔다.

'어쨌든 가까이하기에는 썩 내키지 않고 불쾌한 자식이지만, 그렇다고 적으로는 결코 두면 안 되는 인간이다. 계속 아쉬운 소리를 하면서 허리를 굽혀야 한다는 게 마음에 들지는 않지만 그래도 끝까지 저 멧돼지 같은 녀석의 바짓가랑이를 붙잡고 늘어지는 게 옳은 선택이겠지.'

고굉은 그렇게 결론을 내리면서 속으로 흥! 하고 코웃음을 쳤다. 그런데 그게 마음속으로만 한다는 것이 밖으로 표출이 된 모양이었다.

"왜? 왜 코웃음을 치는데?"

강만리가 불쑥 물었다.

"아, 누가요?"

당황한 고굉은 일단 모른 척 시치미를 뗐다. 그러자 강만리가 가볍게 눈살을 찌푸리며 말했다.

"방금 자네가 흥! 하고 코웃음을 쳤잖아?"

"제가요? 방금요?"

"그래."

"아…… 그건, 그건 말이죠. 그러니까 하늘 높은 줄 모르고 거들먹거리다가 결국 우리 형님 동생들에게 큰코다치게 될 철목가와 무적가를 떠올리다가 보니…… 저도 모르게 그런 코웃음을 쳤나 봅니다."

"나를 향한 건 아니고?"

"에이, 설마요."

고굉은 손사래를 치며 말했다.

"제가 왜 형님께 코웃음을 치겠습니까? 아니, 설령 그럴 마음이 있다손 치더라도 어찌 감히 형님 면전에서 실제로 코웃음을 치겠습니까?"

"그럼 내 뒤에서는 코웃음을 치겠다?"

"아니, 왜 또 그렇게 말씀하십니까? 저처럼 형님께 충성을 다하는 자가 어디 있다고요?"

고굉은 억울하다는 듯이 항변했다.

"정말 서운합니다, 형님. 이 아우는 오직 형님만을 생각하고 형님만을 위해 살아가고 있는데, 형님은 저를 그저 장기판의 졸로만 보고 계시니 말입니다."

강만리가 헛기침을 하며 부인했다.

"내가 또 언제 장기판의 졸로 봤다고."

"아니, 그렇지 않고서 어찌 저만 쏙 빼고 회의를 하시는데요? 저도 엄연히 형님과 형제의 술잔을 나눈 사이가 아닙니까?"

맞는 말이었다.

아니, 외려 다른 형제들, 그러니까 담우천이나 설벽린 등과는 술잔을 나누지 않았고 외려 고굉과는 형제의 술잔을 나눈 강만리였다.

강만리는 어색하게 웃으며 엉덩이를 긁적거렸다.

"오해가 있었군그래. 자네를 무시해서 그런 건 절대 아니야. 그저 자네에게까지 너무 큰 책임과 부담감을 갖게 하고 싶지 않아서 그랬을 뿐이지."

"하지만……."

"아, 참! 사천당문 쪽에서는 아무런 연락이 없었나? 이제 슬슬 돌아올 때도 된 것 같은데?"

강만리는 재빨리 화제를 돌렸다. 고굉은 겉으로 억울한 표정을 지으며 말했다.

"안 그래도 말씀드리려 했습니다. 사천당문을 떠나 화평장으로 돌아오고 있다는 전갈이 있었습니다. 출발 직전에 보낸 듯하니까, 대략 이삼일 전에 사천당문을 출발하지 않았나 싶습니다."

"흠, 마음에 들지 않는군."

강만리는 콧구멍을 쑤시다가 엉덩이를 긁적거린 손으로 턱을 매만지며 중얼거렸다. 칠색 팔색을 할 법도 했지만, 옆자리에 바싹 달라붙어 있던 아란은 한 치의 동요도 없이 그의 얼굴을 쳐다보았다.

"만에 하나 만인평 쪽의 일이 길어지는 상황이 생긴다면 자칫 좋지 않은 일이 벌어질 수도 있겠다. 그쪽에도 사람을 보내서……."

중얼거리던 강만리는 무의식적으로 주위를 둘러보다가 한숨을 내쉬었다.

'잘못했다. 형님과 예추만 보낼 것을 괜히 군악까지 보내는 바람에…….'

강만리는 속으로 투덜거렸다.

'아무리 그쪽 일이 중요하다고는 하지만 그래도 내 곁에 믿고 맡길 수 있는 사람 한 명 정도는 남겨 뒀어야 하는 건데 말이지.'

그런데 지금 그의 곁에는 아란과 고굉만이 있었다.

비록 두 사람 모두 의형제, 의남매의 연을 맺고는 있지만 그래도 무공 면에서나 신뢰도 면에서, 자신의 등을 내줄 정도는 아니었던 것이다.

'어쩔 도리 없지. 그래도 지금은 이들을 믿고 맡기는 수밖에.'

강만리는 속으로 한숨을 쉬면서 입을 열었다.

"마침 두 사람에게 맡길 일들이 있는데."

일순 아란과 고굉은 눈을 반짝이며 말했다.

"언제든지 말씀만 하세요, 오라버니."

"언제든지 명령만 주십시오, 형님."

강만리의 이맛살이 저도 모르게 찌푸려지는 순간이었다.

2. 연환(連環)의 조호이산지계(調虎移山之計)

"흥! 멧돼지처럼 생긴 것치고는 여우처럼 머리를 굴렸군그래."

허 노야는 앵속(罌粟)을 태운 곰방대를 뺨이 홀쭉해지도록 힘껏 빤 후, 길게 연기를 내뿜으면서 중얼거렸다. 매캐한 연기가 방 안을 가득 메웠다.

십삼매는 고요한 물결처럼 평온한 표정을 지은 채 그의 맞은편 차탁에 앉아 있었다.

반면 허 노야는 여전히 뭔가 못마땅하다는 듯이 계속해서 콧방귀를 끼며 말했다.

"쳇! 조호이산(調虎移山)이라니, 그것도 연환(連環) 조호이산의 계(計)라니 말이야."

그는 연신 혼잣말처럼 중얼거렸지만 두 눈은 십삼매의

얼굴에서 떨어질 줄 몰랐다.

"어지간한 모사꾼이라고 해도 쉽게 떠올릴 수조차 없는 계책이거니와 제대로 성사되면 아주 커다란 이익을 얻기는 하겠지만…… 그래서 또 그만큼 위험 부담이 크기도 한 계략이지."

여전히 십삼매는 아무 말도 하지 않았다. 허 노야는 그녀를 노려보듯 쳐다보면서 말을 이어 나갔다.

"그리고 그 부담은 온통 계주(契主)와 내가 뒤집어쓰는 게고."

말을 마친 허 노야는 심술궂게 십삼매의 얼굴을 향해 아편 연기를 뿜어냈다.

십삼매는 표정 한 점 변화 없이 두 손으로 찻잔을 들어 우아하게 한 모금 마신 후 천천히 내려놓으며, 그제야 입을 열었다.

"좋은 차네요."

그녀의 담담한 목소리에 허 노야의 새하얀 눈썹이 송충이처럼 꿈틀거렸다. 지금 십삼매의 저 담담하고 차분한 모습이 영 그의 마음에 들지 않는 것이다.

십삼매는 가만히 허 노야의 꿈틀거리는 눈썹을 지켜보며 말을 이어 나갔다.

"허 노야는 그저 산속에 가만히 있던 범을 데려다가 넓은 들판에서 마음껏 날뛰게 하는 일만 없도록 하면 되는 거예요. 그걸 부담이라고 여기신다면 지금이라도 늦지 않았어요. 수하들에게 물러나라 명하셔도 된답니다."

그녀는 낮고 부드러운 목소리로 조곤조곤 말했다.

허 노야의 얼굴이 살짝 일그러졌다. 그는 곰방대로 타구(唾具)를 쳐서 재를 털어 냈다. 쇠로 만든 타구가 쨍! 하며 요란한 소리를 냈다.

"누가 물러나겠다고 했소?"

그는 짜증을 내듯 말했다.

"그저 그 강만리 녀석이 연환의 조호이산지계(調虎移山之計)를 우리에게 풀어낸 후, 자기는 그 화평장인가 뭔가 하는 장원에 처박혀서 꼼짝하지 않는 게 짜증이 날 따름이오."

조호이산(調虎移山)의 계(計).

일반적으로 사자성어나 고사성어 중에는 두 가지 서로 다른 의미로 해석되는 경우가 왕왕 있었다.

예를 들자면 타초경사(打草驚蛇)가 그러했다.

일반적으로는 일부러 풀을 쳐서 놀란 뱀이 제풀에 모습을 드러내게 만든다는 의미로 사용하는 고사성어지만, 반대로 괜히 풀을 건드려서 뱀이 놀라 숨게 만들 수 있다는 식의 정반대가 되는 의미로도 사용되고는 했다.

타초경사의 우(愚)를 범하지 말라는 경구가 바로 그것이라 할 수 있었다.

그런 경우처럼 조호이산(調虎移山) 역시 두 가지 의미
로 해석할 수가 있다.

호랑이를 산에서 넓은 들판으로 유인한 다음 죽인다는
것이 첫째, 그리고 두 번째는 호랑이를 산속에서 쫓아낸
다음 그 본거지인 산을 약탈한다는 것이다.

호랑이가 산을 떠나면 곧 무주공산(無主空山)이 되고,
누구나 간단하고 쉽게 산의 새로운 주인이 될 수 있는 법
이니까.

그리고 지금 허 노야가 운운하는 '연환의 조호이산지
계'에는 놀랍게도 그 두 가지 의미를 모두 담겨 있었다.

저 항주 땅에 머물고 있던 철목가주 정극신을 본거지에
서 수만 리 떨어진 이곳 성도부까지 오게 만든 것이 바로
첫 번째, 호랑이를 본거지에서 내몰아 넓은 평야로 유인
한 다음 죽이겠다는 의미였다.

또 무적가의 모든 병력들이 천자산을 떠나 이곳으로 출
격한 사이, 그 텅 빈 천자산 본거지를 공략하겠다는 것이
두 번째 의미의 조호이산지계였던 것이다.

지난날 강만리가 십삼매를 만나고 또 허 노야의 심복인
루호를 만났던 건 바로 이 '연환의 조호이산지계'를 완성
하기 위해서였다.

당시 강만리의 계획을 들은 루호는 그와 헤어질 때까지
입을 다물지 못했다. 이후 루호는 곧장 허 노야를 찾아가

반신반의하는 그를 끝까지 설득하여 유령교의 모든 병력을 총동원하게 만들었다.

그렇게 강만리의 계획을 전적으로 신뢰하는 루호와는 달리 허 노야는 아직까지도 의구심을 떨쳐 내지 못하고 있었다.

"그렇게 모든 계획이 톱니바퀴처럼 딱딱 맞아떨어질 리가 없소. 아니, 설령 그 멧돼지 같은 녀석의 계획대로 이뤄진다 해도 결국 우리의 피해가 클 수밖에 없다는 게 진짜 큰 문제란 말이오."

허 노야는 재를 모두 털어 낸 곰방대에 다시 연초와 앵속을 섞어 넣으며 말을 이어 나갔다.

"굳이 이렇게 서두르지 않아도 되지 않겠소? 도련님, 아니 소공자께서 곧 이리로 오실 터. 그분의 능력이라면 오대가주 한둘 정도는 간단하게 해치울 수 있을 테니까 말이오."

허 노야는 눈빛을 빛내며 십삼매를 바라보았다. 십삼매는 여전히 차분하게 가라앉은 눈빛으로 그를 바라보며 입을 열었다.

"소공자를 벌써 세상에 내놓으시려고요?"

허 노야는 어깨를 으쓱거리며 곰방대에 불을 붙였다. 그리고 볼을 씰룩거리며 몇 번 힘차게 곰방대를 빨았다. 몽롱하고 매캐한 연기가 그의 코와 입을 통해서 방안 가득 퍼져 나갔다.

"지금 내놓으면 큰일이라도 나오?"

허 노야가 연기를 풀풀 뿜어내며 되묻자, 이번에는 십삼매가 살짝 어깨를 으쓱거리며 애매하게 말했다.

"글쎄요."

"흐흐흐."

허 노야가 음흉하게 웃었다. 그리고는 가슴을 내밀며 자랑스럽게 말했다.

"약관도 채 되지 않으셨지만, 벌써 그 지닌 무위가 하늘에 닿으셨으며 내공의 넓이는 바다를 메울 지경이라오. 계주도 들어서 알고 있을지 모르겠지만, 이제는 우리 노야(老爺)들도 일대일 승부로는 전혀 상대가 되지 않는다오."

"잘 가르치셨네요. 그렇게 애지중지하시더니."

"흐흐흐. 내 생각보다 훨씬 더 훌륭하게 자라셨소. 어쩌면 계주가 계획했던 그 무림오적이라는 거, 그런 시시하고 잡스러운 놈들 따위 처음부터 만들지 않아도 상관없을 정도로 말이오. 그저 소공자 한 분으로 오대가문 전체를 상대할 수 있을 정도로 말이오."

"과연 그럴까요?"

허 노야가 눈살을 찌푸리는 순간, 십삼매는 조용히 웃으며 반론을 펼치기 시작했다.

"과거 그리 당하셔 놓고도 아직까지 오대가문의 힘을 얕보고 있는 건 아닌가요? 아니, 그들의 진정한 힘을 인정하기 싫은 건 아닌지 모르겠네요."

"왜, 왜 내가 그들을 인정하기 싫어한다고 생각하시오?"

"그렇지 않고서야 어찌 소공자 한 명의 힘으로 저 오대가문을 상대할 수 있을 거라고 그리 자신만만하게 말씀하실 수 있을까요?"

"어흠, 그건 말이 그렇다는 거지, 꼭⋯⋯."

"또 제가 듣기로는 소공자의 무위가 높아질수록, 내공이 깊어질수록 주변 사람들이 더욱 고생하고 두려워한다던데요. 심지어 소공자를 모시기 싫어서 야반도주하는 이들까지 속출한다고 하더군요."

"누가 그런 헛소리를!"

"우리가 황계라는 거 잊으셨나요?"

십삼매는 가볍게 웃으며 말했다.

"우리는 세상 모든 정보를 다룬답니다. 적은 물론, 심지어 아군의 비밀들까지요."

"으음."

허 노야는 대꾸할 말이 생각하지 않은 듯 신음을 흘리며 곰방대만 뻑뻑 피워 댔다.

십삼매가 다시 입을 열었다.

"뭐 저도 소공자를 인정하고 있어요. 아마 우리들 전력의 삼 할에서 오 할은 소공자가 차지하고 있을 테니까요. 하지만 또 그렇기 때문에 소공자의 정체를 끝까지 숨기는 게 낫다는 거죠. 모름지기 비장의 한 수는 최후의 최후까지 손안에 감추고 있어야 하니까요."

그렇게 허 노야를 달래듯 이야기하던 십삼매가 문득 고개를 갸웃거리며 물었다.

"그나저나 왜 소공자가 아직 이곳에 당도하지 않은 걸까요? 예정대로라면 벌써 이곳에 와도 몇 번은 왔을 텐데 말이에요."

허 노야는 인상을 팍 쓰며 되물었다.

"세상 모든 정보를 다 쥐고 있다면서 그런 것도 모르시오?"

"어머, 말이 그렇다는 거지요."

십삼매가 빙긋 웃으며 말했다. 허 노야의 얼굴이 구겨졌다. 지금 그녀는 조금 전 그가 했던 말을 그대로 따라하고 있는 것이다.

십삼매는 유쾌한 표정을 지으며 말했다.

"사실 며칠 늦는다고 무슨 대수겠어요? 다름 아닌 천하의 소공자이신데요. 가고 오는 건 모두 그분의 뜻과 마음에 달려 있으니까요."

3. 의형제(義兄弟)

십삼매와 허 노야가 황계의 안가(安家)에 몸을 의탁한 채 그렇게 소공자의 행적에 대해 이야기를 나누고 있을 때, 정작 소공자는 범정산 아랫마을에 위치한 범정객잔의 한 별채에서 노닥거리고 있었다.

그는 자신을 따르는 세 명의 노인에게 이곳 범정산 일대에 은거하고 있는 독응의선을 찾으라고 지시를 내린 후, 홀로 별채 객청에서 술을 마시고 있었다.

아무런 안주 없이 홀로 술잔을 기울이는 것이야말로 진정한 술꾼의 즐거움이라 할 수 있는데, 아쉽게도 소공자는 타고난 술꾼이 아니었다.

그는 한 병의 죽엽청주를 비운 후 혀를 차며 자리에서 일어났다.

"쳇, 역시 술은 혼자 마시는 게 아니다. 어디 심심해서 견딜 수가 있어야지."

소공자는 텅 빈 객청을 둘러보며 투덜거렸다.

"이럴 줄 알았다면 노인네들 중 한 명을 남겨 둘 걸 그랬어. 응? 아니, 바보같이 왜 그 냄새 나는 노인네들과 술을 마시려고 하지?"

그는 싱긋 웃으며 중얼거렸다.

"이참에 이 시골 촌 계집의 속살 맛을 안주 삼는 것도 나쁘지 않을 테니까."

그는 어슬렁거리면서 객청을 빠져나갔다. 별채가 모여 있는 범정객잔 후원에는 어둠이 깊게 깔려 있었다. 이날 따라 별빛 한 점 없는 가운데 곳곳에 마련된 석등의 불빛이 도깨비불처럼 흔들리고 있었다.

공기는 차가웠고 바람은 스산했다. 소공자는 뒷짐을 진 채 천천히 정원을 가로질러 후문으로 향했다.

그때였다.

소공자의 별채에서 조금 떨어진 곳에 위치한 조그만 별채의 문이 열리고 한 명의 청년이 슬그머니 걸어 나왔다. 연신 뒤를 힐끗거리던 청년은 곧 부리나케 후문을 향해 걸음을 옮기다가 마침 소공자와 시선이 마주쳤다.

청년이 웃는 낯으로 살짝 고개를 숙였다.

'계집이라고 해도 될 정도로 예쁘장하게 생긴 형이네.'

소공자도 청년을 보며 고개를 끄덕였다. 일순 청년은 눈을 크게 떴다.

'헉! 이 아이는……'

마침 석등의 불빛이 한 차례 크게 출렁이면서 소공자의 얼굴을 환하게 밝혔던 것이다.

'우와! 정말 잘생긴 꼬마네.'

청년 또한 소공자의 얼굴을 보며 내심 찬탄을 금치 못했다. 소공자는 지금껏 청년이 봐 온 그 어떤 사내들보다 잘생긴 얼굴을 지니고 있었다.

　그런 외모에 호감을 느꼈을까. 아니면 그 어딘지 낯설지 않은 얼굴에 친근감을 느낀 것일까.

　청년은 스스럼없이 소공자에게 말을 걸었다.

　"이 밤중에 어딜 가시려고?"

　소공자 또한 청년의 외모에 호감을 느꼈는지, 아니면 마침 심심하던 차에 말동무가 생겼다고 생각했는지 순순히 대답했다.

　"아, 혼자 술 마시는 게 지루해서 계집 속살을 안주 삼아 한잔 더 할까 하고."

　"응?"

　청년의 눈이 휘둥그레졌다.

　약관도 채 되어 보이지 않은 어린 소년이었다. 잘 봐줘야 열일고여덟 정도의 나이. 그런데 말하는 게 담대하다 못해 오만하다고 느껴질 정도였다. 온갖 주색잡기(酒色雜技)에 능통한 술꾼처럼 말하고 있는 것이다.

　그게 청년의 마음에 들었나 보다.

　"푸하하하! 좋아, 아주 좋아."

　청년은 고개를 크게 끄덕이면서 웃었다. 그리고는 눈을 반짝이며 소공자를 향해 말했다.

　"마침 나도 계집 속살이 그리워져서 몰래 빠져나온 참이거든. 노인네들이 술에 취한 틈을 타서 말이지."

청년은 자신이 빠져나온 별채를 힐끗거리며 웃었다. 소공자가 뒤를 돌아보았다. 청년의 별채에는 불이 꺼져 있었다.

'두 명?'

소공자의 귀가 희미하게 꿈틀거렸다. 두 개의 코 고는 소리가 희미하게 그의 귓전으로 파고들었다. 확실히 술에 취해 곯아떨어진 자들의 숨소리였다.

소공자가 피식 웃으며 청년을 쳐다보았다.

"원래 노인네들이라는 게 귀찮은 존재들이지."

"아하, 우리 아우님도 노인네들로 인해 적잖은 낭패를 보신 모양이군그래."

어느새 청년은 소공자를 두고 우리 아우님이라고 칭하고 있었다. 소공자는 그런 청년의 넉살이 마음에 든 듯 웃으며 고개를 끄덕였다.

"맞아. 안 그래도 조금 전까지 그 노인네들 때문에 골머리가 아팠던 참이거든."

"흠, 그래서 노인네들을 내쫓고 혼자 술을 마시다가 문득 심심하고 외로워져서 밤마실을 나섰다?"

"맞아. 딱 그거야. 제법 눈치 빠른 형이네."

"눈치 빠른 형? 하하하! 그래. 눈치 하나로 여태껏 잘 버티고 살아왔으니까."

두 사람은 대화를 나누며 후원을 빠져나갔다. 마을 밤거리는 쥐죽은 듯 조용했고 오가는 이 한 명 보이지 않았다.

청년이 주위를 둘러보다가 난색을 취하며 중얼거렸다.

"쳇, 행인(行人)이라도 있으면 청루(靑樓)나 유곽(遊廓)이 어디 있는지 물어보려 했는데."

"흠, 그거라면 나만 믿어."

소공자가 어깨를 으쓱거리며 앞장서서 걷기 시작했다. 청년이 황급히 그의 뒤를 따르며 물었다.

"벌써 가 본 적이 있나 보지?"

소공자가 고개를 저었다.

"아니, 처음인데."

"응? 그런데 어떻게 알고?"

"들리니까."

"뭐가?"

"계집들 웃는 소리, 술 취한 사내들이 떠드는 소리, 뭐 그런 것들."

"에에?"

청년의 눈이 또 한 번 휘둥그레졌다. 그는 곧바로 행여 무슨 소리가 들려오나 정신을 집중했다. 하지만 들리는 것이라고는 스산한 바람 소리뿐이었다.

'뭐가 들린다고?'

청년은 고개를 갸웃거리면서 소공자의 뒤를 따랐다. 소공자는 거침없이 발걸음을 옮겼다. 두 곳의 십자로(十字

路)와 한 곳의 대로(大路)를 지나서 오른쪽으로 꺾어 들어가는 순간, 청년의 눈이 화등잔만 하게 커졌다.

환하게 불이 밝혀진 이 층 주루가 그곳에 있었다. 그리고 여인들의 교태 가득한 웃음소리와 술 취한 사내들의 목소리가 주루 밖으로 새어 나오고 있었다.

'미, 믿을 수 없다.'

청년은 놀란 눈으로 소공자의 뒷모습을 지켜보았다.

소공자가 이 주루에서 흘러나오는 소리를 들은 건 약 이백여 장 떨어진 곳에서였다. 바꿔 말하면, 이백 장 밖의 소리까지 들을 수 있을 정도의 청력과 내공을 지녔다는 의미가 된다.

'아니, 담 형님이라도…….'

청년은 마른침을 꿀꺽 삼키며 속으로 중얼거렸다.

'그 수백 장 떨어진 거리에서 이런 소리를 들을 수는 없을 거야. 그러니까 이 꼬마 녀석은 담 형님보다도 더 뛰어난 내공과 청력을 지니고 있다는 건데…….'

청년은 그제야 비로소 이 소년의 정체가 궁금해졌다. 또 지금껏 소년과 통성명을 하지 않았다는 사실도 깨달았다.

청년은 막 주루로 들어서려는 소년의 등에 대고 말했다.

"참, 아직 우리 서로 제대로 된 인사를 하지 않은 것 같군그래."

소공자가 걸음을 멈추고 천천히 뒤돌아섰다. 청년은 왠지 모르게 낯이 익은 그 잘생긴 얼굴을 바라보면서, 살짝 장난스럽게 두 손을 모으며 말했다.

"이 형님은 고성의 설벽린이라고 하네. 이렇게 아우님을 알게 되어 영광으로 생각하네."

소공자도 피식 웃으며 손을 모았다.

"이 아우님은 위천옥(魏天鈺)이라고 하지. 이렇게 설형을 만나게 되어 매우 즐겁네."

여전히 반말이었다. 아니, 어떤 의미에서 보자면 아랫사람을 대하는 하대처럼 느껴졌다.

그러나 청년, 설벽린은 쉽게 화를 낼 수가 없었다. 처음 보았을 때부터 지금까지 소공자, 위천옥에게서 그게 너무나도 당연하게 느껴질 정도의 기품과 위세가 흘러나오고 있었기 때문이었다.

설벽린은 애써 활짝 웃으며 말했다.

"좋아, 그럼 오늘 만남을 축하하기 위해서 이 형님이 크게 한턱 쏘겠네. 그러니 주루의 모든 술과 계집들을 다 먹어 치우자고!"

위천옥은 설벽린의 말이 마음에 든다는 듯 빙긋 웃으며 고개를 끄덕였다.

"좋아. 이참에 설 형의 주머니를 탈탈 털어 주겠어. 너무 슬퍼하지 말라고."

"하하, 내 주머니 사정까지 생각하지 않으셔도 되네."

"그럼 들어가 볼까?"

"그러자고."

의기투합한 청년과 소년은 곧장 주루의 문을 열고 안으로 들어섰다.

"어머, 어서들 오세요!"

여인의 간드러진 목소리와 함께 후끈한 열기가 두 사람을 향해 덮쳐 왔다. 주루 일 층 대청에는 십여 명의 여인들과 대여섯 명의 사내들이 서로 이리저리 얽혀서 질펀하게 놀고 있던 참이었다.

설벽린이 크게 소리쳤다.

"오늘 우리 두 젊은 영웅들이 의형제를 맺은 걸 기념하여 이 주루를 통째로 빌릴 것이다! 그러니 물건 달린 사내자식들은 모두 썩 사라지도록!"

여인들의 살 냄새와 술에 취한 사내들이 눈을 부라리며 자리에서 벌떡 일어났다. 설벽린은 아무 말 없이 오른발을 들어 힘껏 바닥을 내리쳤다.

진각(震脚)!

내공이 실린 그의 진각에 탁자가 흔들리고 술병과 접시들이 와르르 떨어졌다. 일순 사내들의 얼굴색이 급변했다.

'무, 무림인인가?'

기껏해야 시골 촌마을의 한량에 불과한 사내들이었다. 아무리 술에 취했다고는 하지만, 손으로 바위를 박살 내고 발로 아름드리나무를 꺾는다는 무림인들과 맞서 싸울 만용은 없었다.

그들은 엉거주춤 소지품을 챙기고 웃옷을 입은 후, 설벽린과 위천옥을 노려보면서 하나둘씩 주루를 빠져나갔다.

마지막으로 주루를 빠져나가던 사내가 갑자기 몸을 휙 돌리며 크게 소리쳤다.

"개자식들! 두고 보자!"

기세 좋게 소리친 그는 행여라도 설벽린과 위천옥이 덤벼들까 봐 황급히 문을 닫고 도망쳤다.

"푸하하하!"

설벽린이 크게 웃고는 위천옥을 바라보며 말했다.

"자, 그럼 코가 삐뚤어지도록 마시자고, 아우님."

위천옥도 즐겁다는 듯 미소를 지으며 고개를 끄덕였다.

"언제 우리가 의형제를 맺었는지는 모르겠지만 어쨌든 설 형의 후의(厚意)를 받아들여, 밤새도록 술과 계집을 즐기도록 하지."

"좋았어. 그래야 내 아우님이지."

설벽린은 껄껄 웃으며 대청 한복판으로 걸어갔다. 그리고 이 느닷없이 벌어진 황당한 상황에 당황하고 놀란 여인들을 둘러보며 말했다.

"이제 한 명도 빠짐없이 모두 옷을 홀딱 벗는 거다. 신고식부터 시작해야지!"

그렇게 광란(狂亂)의 밤이 시작되었다.

(무림오적 28권에서 계속)